RODRIGUEZ DE SEPULVED
INTERNET PARA MAYORES
LOS NO INICIADOS /
2015.
37565027568533 WIND
LIBRARY
OFFICIAL DISCARD
Y0-BZY-193

Internet para mayores
Guía para los no iniciados

Internet para mayores
Guía para los no iniciados

David Rodríguez de Sepúlveda Maillo

(Ilustrado por María del Mar Sánchez Cervantes)

Internet para mayores. Guía para los no iniciados
© David Rodríguez de Sepúlveda Maillo
© De la edición: Ra-Ma 2015

MARCAS COMERCIALES. Las designaciones utilizadas por las empresas para distinguir sus productos (hardware, software, sistemas operativos, etc.) suelen ser marcas registradas. RA-MA ha intentado a lo largo de este libro distinguir las marcas comerciales de los términos descriptivos, siguiendo el estilo que utiliza el fabricante, sin intención de infringir la marca y solo en beneficio del propietario de la misma. Los datos de los ejemplos y pantallas son ficticios a no ser que se especifique lo contrario.

RA-MA es marca comercial registrada.

Se ha puesto el máximo empeño en ofrecer al lector una información completa y precisa. Sin embargo, RA-MA Editorial no asume ninguna responsabilidad derivada de su uso ni tampoco de cualquier violación de patentes ni otros derechos de terceras partes que pudieran ocurrir. Esta publicación tiene por objeto proporcionar unos conocimientos precisos y acreditados sobre el tema tratado. Su venta no supone para el editor ninguna forma de asistencia legal, administrativa o de ningún otro tipo. En caso de precisarse asesoría legal u otra forma de ayuda experta, deben buscarse los servicios de un profesional competente.

Reservados todos los derechos de publicación en cualquier idioma.

Según lo dispuesto en el Código Penal vigente ninguna parte de este libro puede ser reproducida, grabada en sistema de almacenamiento o transmitida en forma alguna ni por cualquier procedimiento, ya sea electrónico, mecánico, reprográfico, magnético o cualquier otro sin autorización previa y por escrito de RA-MA; su contenido está protegido por la Ley vigente que establece penas de prisión y/o multas a quienes, intencionadamente, reprodujeren o plagiaren, en todo o en parte, una obra literaria, artística o científica.

Editado por:
RA-MA Editorial
Calle Jarama, 3A, Polígono Industrial Igarsa
28860 PARACUELLOS DE JARAMA, Madrid
Teléfono: 91 658 42 80
Fax: 91 662 81 39
Correo electrónico: editorial@ra-ma.com
Internet: **www.ra-ma.es** y **www.ra-ma.com**
ISBN: 978-84-9964-557-5
Depósito Legal: M-19814-2015
Maquetación: Antonio García Tomé
Diseño de Portada: Antonio García Tomé
Ilustraciones: María del Mar Sánchez Cervantes
Filmación e Impresión: Service Point S.A.
Impreso en España en julio de 2015

A tus 4 años,
y a tus 35 más.

ÍNDICE

AGRADECIMIENTOS

Es fácil agradecer un libro que se ha redactado para gente sin una edad definida porque esta gente es la que me rodea. Gente como mis padres, mis suegros, mi hija o mis amigos y conocidos, que en mayor o menor medida, han estado presentes en el proceso de redacción, pues todos y cada uno de ellos me han hecho en algún momento alguna que otra pregunta fácil o difícil de resolver y que ha hecho que tenga que investigar o simplemente reconocer mis limitaciones en un campo tan amplio como es la informática, y al que aunque te dediques a él de forma profesional, siempre te mostrará la existencia de lagunas.

Durante el desarrollo de este libro he tenido en cuenta todas esas dudas y como los que las generaban obtenían la respuesta a través de mis explicaciones, no me queda más que agradecer que, de esta manera involuntaria, hayan colaborado en la redacción del mismo.

Y es por ello que quiero concluir estos agradecimientos con una cita de Jorge Luis Borges en la que dijo: “La duda es uno de los nombres de la inteligencia”.

NOTAS ACLARATORIAS

A lo largo de la redacción de esta obra el lector podrá encontrar una serie de aclaraciones y notas de resumen que vendrán identificadas con diferentes iconos.

Nota: información extra de carácter general asociada al caso práctico en cuestión.

Resumen: glosario a modo de resumen que ayudará al lector a recordar diferentes conceptos y procedimientos.

Reto: momento en el que se animará al lector a afrontar un reto práctico que tendrá relación con los conocimientos planteados.

1

INTERNET: HISTORIA, USOS Y UTILIDADES

Cuando hablamos de los orígenes de Internet es posible que nos suene algo relacionado con su creación como parte de un proyecto militar por parte de los EE. UU. que se desarrolló en la década de 1960, durante la guerra fría, el cual tenía como finalidad el asegurar la comunicación entre las bases tras un posible ataque nuclear. No obstante, y como fue publicado por *Internet Society* en el artículo *A Brief History of the Internet*, hay una vertiente que defiende que esto no es cierto, y que ese rumor fue difundido a raíz de un estudio de la corporación RAND (*Research ANd Development*) no relacionado con el proyecto llamado ARPAnet (financiado por DARPA, *Defense Advanced Research Projects Agency*), una red basada en el protocolo de intercambio de paquetes de datos.

Por lo tanto, tenemos que ver el origen de Internet como un intento de mejora y supervivencia frente a fallos en la red ya que la conmutación era poco fiable.

Si queremos entender qué es hoy Internet, es necesario que conozcamos su historia. Esta historia desde sus orígenes, de manera resumida, ha tenido especial relevancia en años determinados:

- 1969: se establece la primera interconexión entre las universidades de UCLA y Stanford por medio de la línea telefónica conmutada.

- 1973: tras el éxito en el año anterior de la primera demostración pública, se desarrollaron nuevos protocolos de comunicaciones que dieron paso a los protocolos TCP e IP en el año 1983 y de donde surgió el nombre de "Internet".

- 1989: integración de los protocolos OSI en la arquitectura de Internet, con la intención de interconectar redes dispares.
- 1990: se crea el código HTML, el primer cliente web llamado **World Wide Web** (WWW), y el primer servidor web.
- 1993: se levanta la prohibición al uso comercial de Internet.

RETO

Buscar el artículo al que se hace referencia, A *Brief History of the Internet* en la dirección web de la Internet Society para ampliar los conocimientos. *https://www.internetsociety.org/es*

Coloquialmente, y en la actualidad, Internet es un espacio de compartición y uso de medios, mediante el uso de software específico, principalmente el navegador web. Una gran evolución en el concepto de la comunicación que está presente en un altísimo porcentaje de hardware, equipos informáticos, tales como los propios ordenadores personales, teléfonos móviles, televisores, coches e incluso en electrodomésticos tales como neveras. Por lo tanto, la importancia de conocer Internet y su correcto uso, podemos decir que es imprescindible.

NOTA

lo más importante con Internet es no tenerle miedo, pero sí respeto.

1.1 PRINCIPALES USOS DE INTERNET

Son muchos los servicios que Internet nos ofrece y según avanzan los años, estos se amplían con otros nuevos.

Cada uno de los servicios disponibles nos aporta una posibilidad nueva frente a la manera de cómo sacarle partido a Internet. En la mayoría de los casos, y en relación al uso, los servicios o más bien el conocimiento de ellos es independiente, pudiendo utilizar correctamente algunos de ellos sin necesidad de conocer los demás. Por ejemplo, una persona que trabaje con el correo electrónico no necesitará saber del funcionamiento de la televisión IP.

1.1.1 Navegación web

La navegación web es quizás el principal de los usos de Internet. ¿Y qué es navegar por la web? Pues es movernos en un océano de páginas web gracias al uso de un programa concreto llamado navegador web y que actualmente se ve representado principalmente por Internet Explorer, Mozilla Firefox o Google Chrome.

Estas páginas web que deseamos ver están alojadas en servidores web (ordenadores) que están conectados a Internet y desde los cuales se facilita el acceso desde nuestros hogares o lugares de trabajo a los datos alojados. De hecho cuando el usuario abre su navegador web, y escribe una dirección a la que acceder, lo que hace es acceder al servidor que indica dicha dirección web y solicitar los datos relacionados. De esta manera el servidor accede al servidor dicha información y la envía al cliente, usuario que ejerce la petición, que la recibirá y la traducirá en formato visual gracias a dicho navegador web. En la siguiente imagen podemos ver el código recibido y la transformación del mismo por parte del navegador web. Nosotros lo que veremos será la primera imagen.

Figura 1.1. Página web y su código HTML

A través de estos navegadores web podremos realizar, entre otras, tareas tales como:

- Resolución de dudas.
- Comprar.
- Gestiones administrativas.

1.1.2 Correo electrónico

Gracias a este servicio de red podemos enviar y recibir correos digitales por parte de otros usuarios que dispongan de este mismo servicio. ¿Quién no ha recibido en algún momento una dirección de correo electrónico con la que ponerse en contacto?, ya sea esta de un amigo o de una empresa a la que hemos solicitado cierta información. Gracias a este servicio se pueden liberan las líneas telefónicas y se agiliza la entrega de los mensajes en relación al correo ordinario.

El funcionamiento en este caso se resume en un envío de los mensajes a un ordenador servidor, donde son almacenados en el espacio reservado al destinatario. Posteriormente, al conectarse el destinatario recupera dichos mensajes y los descarga a su máquina local. La idea es algo así como el funcionamiento de los apartados de correo en el correo ordinario.

Aunque el correo electrónico comenzó a utilizarse en 1965, fue en 1971, gracias a Ray Tomlinson, cuando se definió tal y como lo conocemos hoy con el uso de la arroba (@) como divisor entre el usuario y el dominio (ordenador) que aloja el correo. De la manera, ejemplo@ordenador.com.

Hoy en día existen dos posibilidades cuando queremos obtener una cuenta de correo electrónico:

- Gratuitos: los cuales suelen obtener sus fuentes de ingreso de servicios complementarios o del uso de la información proporcionada por el usuario.

- De pago: ofertado para empresas que quieran todos los servicios disponibles en relación al correo electrónico, tales como por ejemplo la posibilidad de leer el correo electrónico sin conexión a Internet (*off-line*).

Así mismo, dependiendo del proveedor podremos ver el correo electrónico vía:

- Web: a través de un sitio web diseñado específicamente para tal finalidad.

Figura 1.2. Acceso al correo web de Google Gmail

- Cliente de correo: en este caso tendremos que descargar un programa concreto y configurarlo para tal fin. Por ejemplo, tenemos Mozilla Thunderbird.

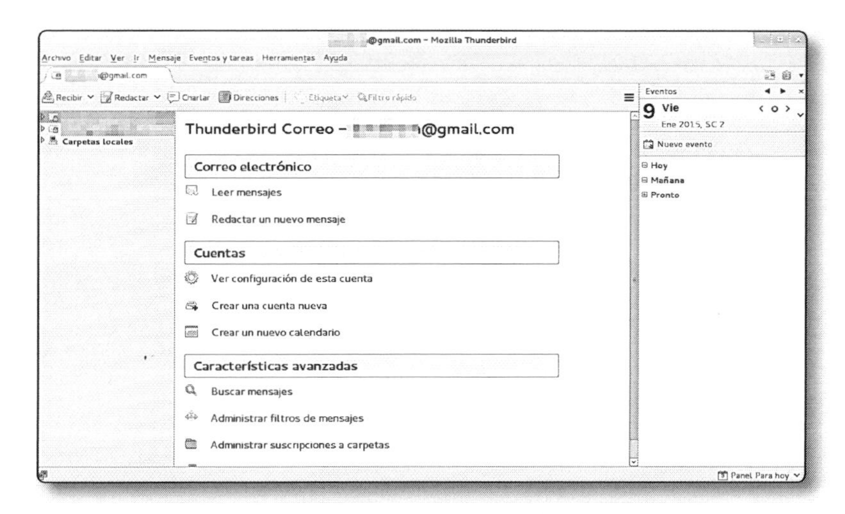

Figura 1.3. Cliente de correo Mozilla Thunderbird

1.1.3 Otros servicios

Los servicios anteriores son los que podemos considerar como principales. Pero, no obstante, existen otros que no siendo tan principales, no son menos usados en ciertos entornos:

- Mensajería instantánea: entre otras la compañía Google para su Google Hangout o Whatsapp.
- Telefonía (VoIP): voz sobre IP nos permite la transmisión de una señal de voz a través de Internet. Esta transmisión se realiza gracias a la codificación digital de la emisión analógica. Algunos proveedores de telefonía e Internet ya lo ofrecen junto con la conexión a Internet contratada.
- Televisión (IPTV): emisión de televisión a través de las conexiones de banda ancha sobre el protocolo IP. Es una de las ofertas que suelen dar las compañías que proveen de conexión a Internet. Normalmente, son conexiones de pago.

RETO

Buscar en Internet, al menos dos compañías que oferten IPTV y VoIP y posteriormente compararlas.

RESUMEN

- ARPAnet: origen del Internet actual.
- Navegador web: programa con el que podemos hacer gestiones por Internet.
- HTML: código de programación. Las entrañas de lo que vemos cuando estamos en Internet.

2

CÓMO CONECTARNOS A INTERNET

Actualmente conectarse a Internet no tiene grandes secretos ya que todas las compañías proveedoras aportan los materiales y programas necesarios para hacer este proceso de una manera prácticamente automatizada.

En cualquier caso, es preciso entender qué es lo que recibiremos tras la contratación y sus funcionalidades.

2.1 TIPOS DE CONEXIÓN: CABLE Y WIFI

Lo primero que debemos tener claro en el momento de la contratación de una conexión a Internet es qué dispositivos vamos a querer que se puedan conectar, siendo lo más habitual en nuestros días que esta contratación queramos que vaya asociada a conectar no solo los ordenadores de sobremesa, sino también otros dispositivos tales como *tablets*, teléfonos móviles, consolas o similares.

Pues bien, si es así y queremos que todos estos dispositivos puedan hacer uso de nuestro servicio de Internet, lo que necesitaremos es que nuestro proveedor nos dé los elementos necesarios para poder configurar nuestra conexión wifi.

¿Y qué es esto de wifi? En toda oferta de Internet podremos encontrar dos tipos de conexiones:

- Conexión por cable: que conectará físicamente el ordenador, o dispositivo compatible, a Internet. Esta conexión física se lleva a cabo mediante cables llamados **Ethernet**, con conectores parecidos a los de las líneas telefónicas en los hogares llamados **RJ-45**. Será necesario que el equipo que queramos configurar tenga una tarjeta Ethernet donde podremos conectar la clavija RJ-45.

Figura 2.1. Cable de red y su conexión al equipo en su parte trasera

- Conexión wifi: en este caso la idea es poder conectarse a Internet sin necesidad de cables. Es decir, mediante una conexión inalámbrica. Pues bien, esto se hace posible gracias a ciertos dispositivos que tienen la capacidad de emitir y recibir información sin la necesidad de una conexión física. Si en el caso de la conexión por cable es necesaria una tarjeta Ethernet, en el caso de las conexiones wifi tendremos que asegurarnos de que los dispositivos tengan tarjetas inalámbricas. Aunque la imagen muestra una tarjeta para conexión wifi externa, es habitual que hoy en día no veamos físicamente dicha tarjeta y que esta esté inmersa en el interior del dispositivo.

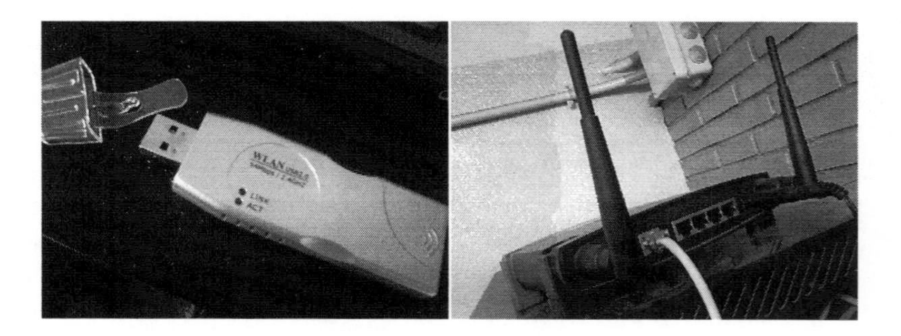

Figura 2.2. Tarjeta wifi por USB y router con antena wifi visto por detrás

NOTA

En todas las ofertas de conexión a Internet en el hogar, a través de una línea telefónica, se nos garantizará la conexión mediante cable. No obstante, tendremos que asegurarnos de que el dispositivo de conexión (*router*) posea la funcionalidad de conexiones inalámbricas

RETO

Si dispones de conexión de Internet identifica si tu *router* ofrece conexión vía cable y/o wifi.
Si por el contrario no dispones de conexión a Internet, accede a cualquiera de las ofertas que puedes encontrar e identifica si nos ofrecen un *router* de conexión cable/wifi, o solo cable.

Para quien le interese adentrarse de forma más real en los aspectos tratados en el punto anterior, vamos a resumir algunos de los conceptos relacionados con redes.

2.1.1 Conceptos generales de red

Cuando nosotros conectamos un equipo a Internet, lo primero que estamos haciendo es obtener una serie de números identificativos. Estos números son:

- IP: la IP es el "número identificativo" que nos aportará el *router* de forma automática o que asignaremos nosotros de forma manual (por ejemplo: 192.168.1.100). Cada dirección IP estará formada por 4 números, con valores que podrán ser del 0 al 255 cada uno de ellos, separados por un punto.

- Máscara: nos servirá para establecer agrupaciones de equipos.

- Puerta de enlace o *gateway*: es la dirección que nos comunicará con el *router*. Por mucho que nosotros tengamos el aparato telefónico si no tenemos el número de teléfono de con quién queremos hablar no podremos contactar. Normalmente suele ser 192.168.1.1 o 192.168.0.1.

- Servidor DNS: cuando nos conectamos a Internet, lo que hacemos es teclear un nombre de página web (http://www.página.com). Este nombre no es más que un apodo identificativo que sustituye a la IP de la máquina con la que nos queremos conectar. Pues bien, los servidores DNS son los que se encargan de hacer reconocible el nombre que nosotros ponemos y lo traducen por la IP que corresponda. Si la dirección del servidor DNS no es correcta no se podrán traducir las direcciones web que tecleemos. Normalmente la dirección DNS será la IP del *router* (puerta de enlace), con la intención de que sea el *router* el que gestione la resolución del nombre accediendo a las DNS que tiene configuradas.

2.1.2 Conceptos generales de la wifi

Lo primero que tenemos que saber es que las diferentes conexiones inalámbricas que podemos detectar nos aportan un nombre que se denomina SSID (*Service Set IDentifier*), este identificador podrá ser personalizado con la intención de poder encontrarlo más fácilmente en posteriores conexiones.

Toda conexión inalámbrica nos aporta la posibilidad de proteger la conexión con una clave de forma que solo quien la sepa pueda conectarse a nuestra red. El problema es que no todas las claves son igualmente seguras.

Los sistemas de protección de redes inalámbricas más utilizados son:

- Abiertos, en este caso la red inalámbrica no posee ningún tipo de protección a nivel de clave, por lo tanto cualquiera que localice nuestro acceso podrá conectarse a ella.

- WEB, la clave web es la más débil de las que podemos encontrar actualmente. Al poco tiempo de su uso se descubrió que es fácilmente localizable ya que el cifrado que utiliza es muy débil.

- WPA, la contraseña viaja cifrada a través del algoritmo de encriptación TKIP/MIC y su nivel de protección es bastante mayor que el de WEB, no obstante es un sistema de clave que también se ha descifrado aunque lo cierto es que la forma de hacerlo no es tan fácil como con el caso del cifrado WEB.

- WPA2, muy parecida a WPA pero con un sistema de encriptación de la clave mucho más avanzado gracias al algoritmo de encriptación AES-CCMP. Suele ser la base de los sistemas de protección actuales.

Tanto el caso de WPA como en el de WPA2 podrán establecerse en dos formas diferentes:

- Modo Personal mediante una clave de acceso personal denominada PSK en la que somos nosotros los que elegimos la clave personal y por tanto intervenimos de forma directa en la fortaleza de la misma.
- Modo Avanzado mediante EAP que autentifica el acceso a la red de los usuarios mediante un servidor RADIUS (*Remote Authentication Dial-In User Server*).

NOTA
Existen modos mixtos en los que se combinan, por ejemplo, WPA2 con WPA

2.2 CONFIGURAR NUESTRA CONEXIÓN A INTERNET

Como hemos empezado diciendo, para conectar a Internet un ordenador o cualquier otro dispositivo bastará con seguir las instrucciones aportadas por el proveedor.

No obstante, en el caso de la conexión de dispositivos haciendo uso de la opción de red wifi lo llevaremos a cabo siguiendo los siguientes pasos numerados:

1. Acceder al apartado **Ajustes** > **Wi-Fi** de nuestro dispositivo móvil.

Figura 2.3. Ajustes de un smartphone con Android

2. En este momento se nos presentarán las wifi a las que por cercanía nos podremos conectar. Elegiremos la nuestra pulsando sobre ella.

Figura 2.4. Listado de wifi disponibles en Android

3. Solo queda añadir la contraseña asignada por el proveedor, o redefinida por nosotros y pulsar sobre **Establecer conexión**.

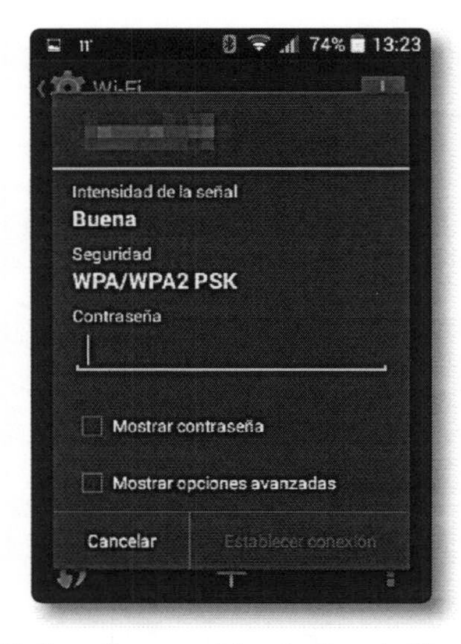

Figura 2.5. Conexión a una determinada red wifi en Android

Si la autentificación es correcta, cada vez que nos acerquemos al área de influencia de nuestra wifi, el dispositivo móvil se conectará automáticamente.

NOTA

La conexión por cable no suele ser necesario configurarla. Basta con conectar el ordenador para que se autoconfigure y podamos acceder a Internet.

NOTA

Si queremos conectar cualquier ordenador mediante wifi, pulsaremos sobre el icono wifi.

Y en el listado de conexiones wifi disponibles pulsaremos sobre la que deseemos.

RESUMEN

- Ethernet: conexión cable.
- RJ-45: clavija que se conectará al equipo y al *router*.
- wifi: conexión inalámbrica.
- *Router*: aparato que nos permitirá conectar los diferentes dispositivos a Internet.
- IP: dirección identificativa del equipo dentro de nuestra red.
- Android: sistema operativo que incluyen muchos de los *smartphones* (teléfonos móviles)

3

LOS NAVEGADORES WEB

Quizás lo más realizado en Internet es la navegación web, o lo que es lo mismo el visionado de páginas web.

Por lo tanto, es importante que sepamos con qué programa podemos hacer este proceso de consulta y visionado. Estos programas son los navegadores web, y en la actualidad existen diferentes alternativas propuestas por diferentes empresas.

3.1 ¿QUÉ SON LOS NAVEGADORES?

Podríamos definir los navegadores como los barcos que navegan por el océano; este océano es Internet. Como pasa con los barcos reales, existen muchos tipos de navegadores más o menos rápidos, más o menos seguros. Por lo tanto lo primero que debemos hacer es elegir un buen barco.

Ilustración 3.1 ¿Qué barco queremos?

En nuestro caso nos vamos a centrar en tres navegadores concretos, por su gran implantación en los diferentes ordenadores:

- Internet Explorer: programa de navegación web que viene preinstalado en los sistemas operativos de la empresa Microsoft, tal como Microsoft Windows en sus diferentes versiones.
- Mozilla Firefox: alternativa independiente desarrollada por la corporación y fundación Mozilla y que es una alternativa libre y de código abierto.
- Google Chrome: una tercera opción desarrollada por la empresa Google.

NOTA

Tanto Mozilla Firefox como Google Chrome están disponibles para otros sistemas operativos diferentes de los desarrollados por la empresa Microsoft, lo que los hace más globales.

En su contra está que tendremos que instalarlos al no venir preinstalados como en el caso de Internet Explorer.

3.2 USO DE LOS NAVEGADORES WEB

3.2.1 Internet Explorer

Cuando abrimos el navegador web Internet Explorer vamos a encontrar diferentes apartados que podemos identificar en la imagen del mismo. Así mismo en dicha imagen se han identificado una serie de zonas con números que se explicarán con más detalle en puntos posteriores.

Como hemos dicho anteriormente, este navegador web no necesita instalación ya que viene preinstalado en el sistema operativo Microsoft Windows, e igualmente deberemos ser conscientes de que no podremos encontrar versiones para, por ejemplo, *smartphones* con el sistema operativo Android.

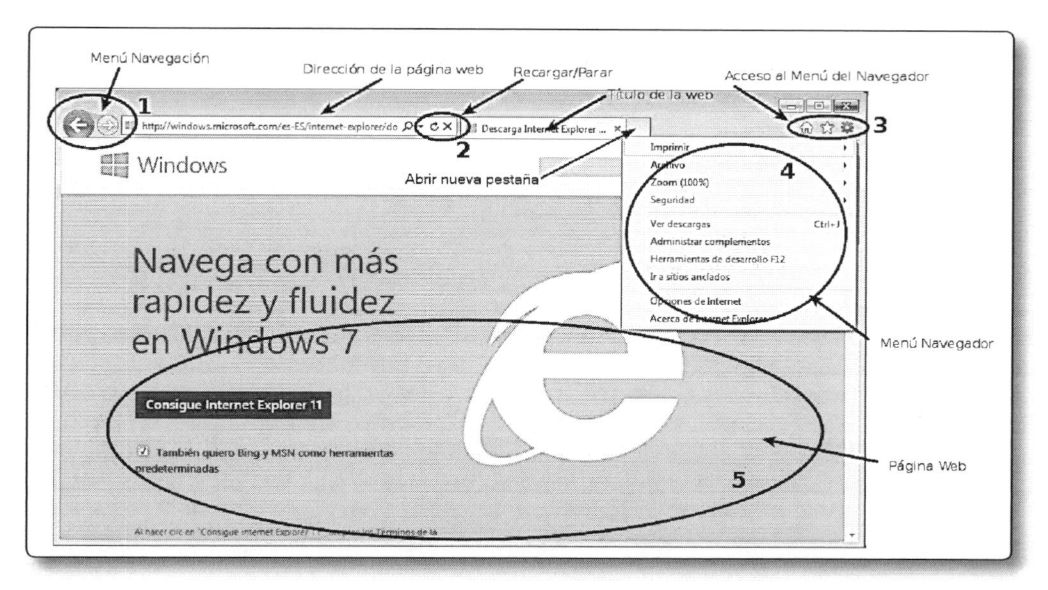

Figura 3.1. Esquema de Internet Explorer

Una primera descripción superficial del navegador web nos deja los siguientes elementos:

- **Menú de navegación**: nos permitirá poder ir a páginas ya vistas, pues según vamos viendo páginas web se va realizando un listado sobre el que podemos movernos. Este listado se reiniciará cada vez que abramos el navegador web.

- **Dirección de la página web**: ahí tendremos que escribir la dirección web de la página que queremos ver. Por ejemplo, si queremos entrar en la web de la editorial Ra-Ma, teclearemos *http://www.ra-ma.es*. Hay que asegurarse de borrar todo lo que haya antes de teclear una nueva dirección. Lo veremos más en detalle en el capítulo siguiente.

- **Recargar/Parar**: nos permite volver a cargar, o para el proceso de carga de la página web que esté en ese momento visualizándose.

- **Título de la web**: identifica la web que estamos viendo.

- **Abrir nueva pestaña**: si queremos, podemos tener varias páginas web abiertas. Para tenerlo organizado y no tener que abrir varias veces el navegador web, se nos proporciona esta opción que nos abrirá una nueva pestaña con el contenido que queramos y este será independiente de las otras pestañas abiertas, pudiendo acudir a ellas en el momento que queramos.

- **Acceso al menú del navegador**: entre otras cosas nos permite abrir las diferentes opciones que el navegador nos ofrece.
- **Menú navegador**: el menú al que se hace referencia en el punto anterior.
- **Página web**: lo que realmente nos interesa, lo que queremos ver cuando comenzamos el proceso de abrir un navegador web.

Si queremos ver más en detalle este navegador nos podemos centrar en 5 apartados, identificados cada uno de ellos con un número en la imagen:

1. Como se ha dicho antes, en este apartado se nos presenta la opción de poder volver a páginas ya visitadas anteriormente conforme al historial que se va creando. Lo hemos puesto en un apartado especial para indicar una peculiaridad. Se puede acudir a páginas anteriores retrocediendo de una en una, o bien yendo directamente a una de ellas. Para ello pulsaremos sobre la flecha deseada dejando pulsado el botón izquierdo del ratón. De esta manera se nos mostrará la lista de webs registradas en este historial pudiendo acceder directamente a una de ellas.

Figura 3.2. Menú de navegación

2. Al lado de la dirección de la página web que estamos visitando se nos muestran dos iconos, uno con forma de flecha circular que nos recargará la página que estamos viendo, y otro con una X que parará la carga que se esté haciendo en ese momento.

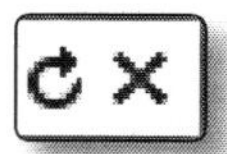

Figura 3.3. Recargar y parar la página web

3. El acceso al menú del navegador web presenta por su parte 3 iconos, que de izquierda a derecha son:

Figura 3.4. Menú del navegador web

- La casita, cuando lo pulsemos nos abrirá la página web que tenemos establecida como página web de bienvenida. Esta es la página que se abre cuando ejecutamos el navegador web.

- La estrella nos da acceso a un apartado donde tendremos almacenadas nuestras direcciones web favoritas. Al pulsar sobre ella podremos ver qué tenemos ya guardado y también podremos añadir nuevas direcciones con la intención de no tener que memorizar estas direcciones.

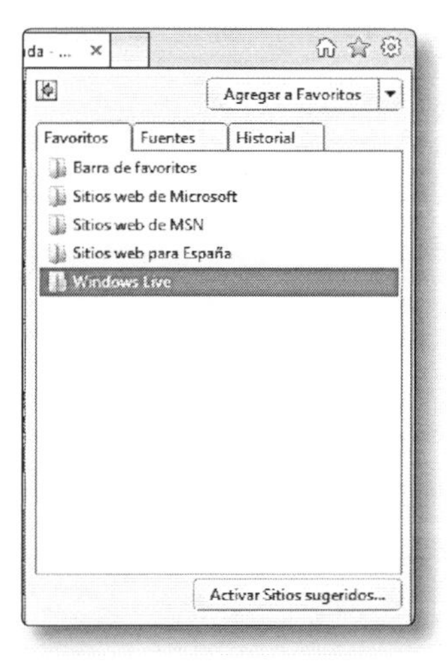

Figura 3.5. Registro de nuestras direcciones web favoritas

- Por último tenemos la tuerca que nos da acceso a las herramientas de configuración. Por su extensión lo hemos descrito como un apartado aparte.

4. Si hemos pulsado sobre la tuerca, se nos habrá mostrado el cuadro de herramientas del navegador web. En este apartado podemos ver un amplio número de opciones; nosotros, al ser esta una obra básica, nos centraremos en las opciones más útiles a priori.

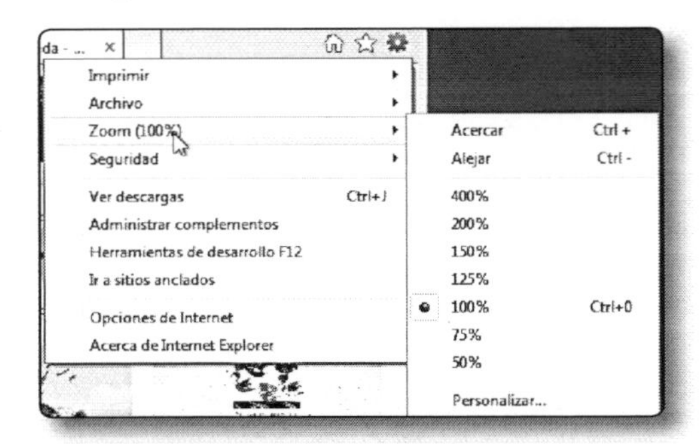

Figura 3.6. Registro de nuestras direcciones web favoritas

- **Zoom (100%)**, tamaño del visionado. Si queremos que el texto se vea más grande o más pequeño, este es el apartado al que tendremos que acceder.
- **Opciones de Internet**, aquí podremos definir la página de bienvenida, o eliminar la información registrada. Si pulsamos se abrirá una nueva ventana.

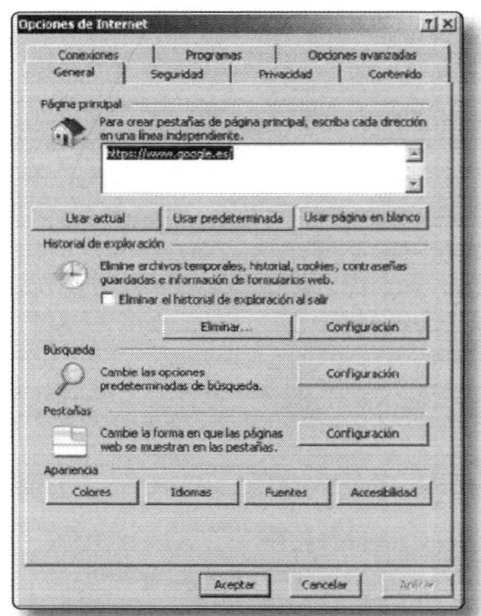

Figura 3.7. Opciones de Internet

Para personalizar la página de bienvenida la pondremos en la caja donde pone página principal. Si queremos eliminar la información registrada pulsaremos sobre el botón **Eliminar** y elegiremos qué datos queremos eliminar.

5. En este último apartado se nos mostrará la página web y en ella tendremos que aprender a detectar diferentes elementos, ya que serán estos los que nos ayuden a navegar por la web. Principalmente tendremos que localizar los enlaces web, y estos se detectarán gracias al puntero del ratón. Si al ponernos encima de cualquier área, esta se transforma de una flecha en una mano, podremos entender que estamos sobre un enlace web que nos llevará al lugar al que el texto hace referencia.

Figura 3.8. Enlace que nos muestra un puntero con forma de mano

NOTA
Los otros dos navegadores web que se van a describir tienen aspectos en común, de esta manera Internet Explorer será nuestro punto de partida.

3.2.2 Mozilla Firefox

Figura 3.9. Esquema de Mozilla Firefox

Lo primero que tenemos que reiterar es que todos los navegadores web tienen aspectos comunes tales como el título de la web o la dirección de la web. Es por esto que en este punto y en el siguiente solo vamos a explicar los aspectos que son específicos e independientes del navegador web en cuestión.

- **Buscador integrado**. Este buscador nos permite realizar búsquedas en Internet sin necesidad de acudir al buscador web. Del proceso de búsqueda se explicará su funcionamiento en el capítulo siguiente.

  Igual que en el caso de las flechas de navegación, podemos pulsar sobre el icono del buscador seleccionado y elegir que la búsqueda se realice sobre otro de los registrados.

Figura 3.10. Selección de buscador

- Estado de carga de la web, ahí se nos indicará lo que está haciendo el navegador web.

Centrándonos en los aspectos más amplios marcados con números tenemos:

1. Los accesos a los menús de navegación nos presentan alguna otra opción que no se presenta en Internet Explorer, y sobre las que nos vamos a centrar.

   - La opción de estrella de Internet Explorer en este caso está formada por dos iconos. La estrella que se encarga de almacenar la web que estamos visitando, dentro de nuestra lista de favoritos. Y la carpeta que nos mostrará el listado de direcciones web almacenadas.

Figura 3.11. Favoritos en Mozilla Firefox

- Flecha. La flecha que apunta hacia abajo indica el acceso al listado de los documentos descargados a nuestro ordenador durante la navegación actual.

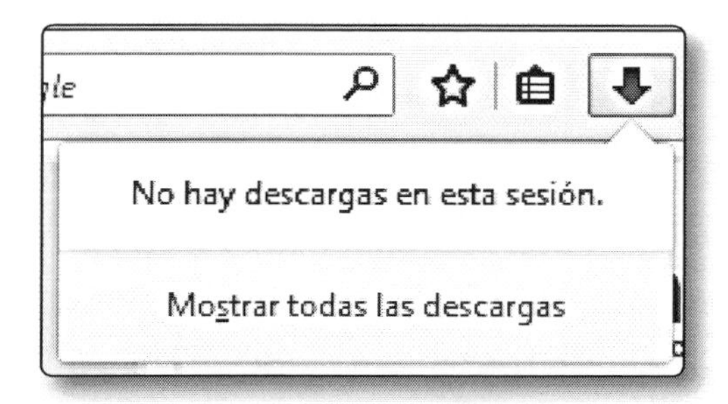

Figura 3.12. Listado reciente de descargas

2. En el caso del menú del navegador web, tiene opciones similares. Solo que presentadas de manera diferente.

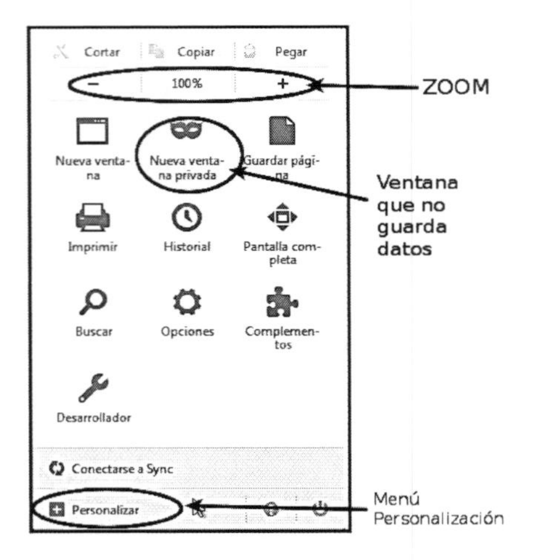

Figura 3.13. Detalle del menú del navegador web

Para añadir una página de bienvenida personalizada pulsaremos sobre **Opciones**, y en la ventana que se abre podremos añadirla donde pone **Página de inicio**.

Si queremos eliminar los datos registrados pulsaremos sobre **Historial** y ahí dentro en **Limpiar el Historial**.

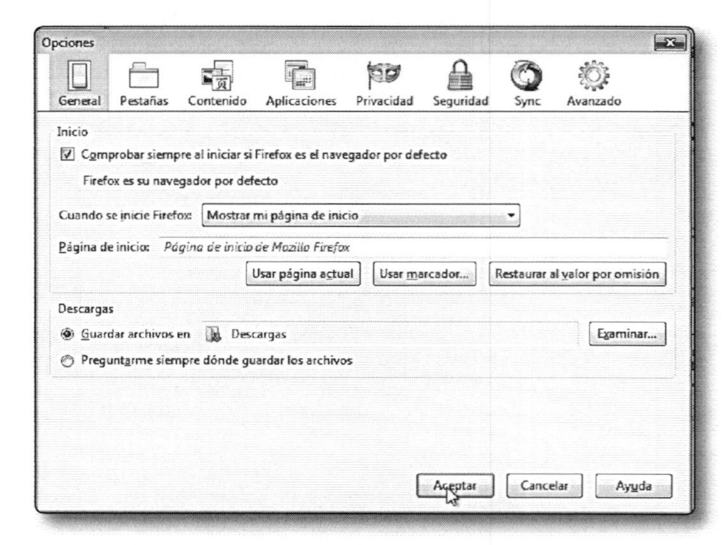

Figura 3.14. Detalle del menú del navegador web

3.2.2.1 MOZILLA FIREFOX EN EL MÓVIL

Si hemos decidido trabajar con nuestro *smartphone* y navegar desde él con Mozilla Firefox para móviles, tendremos que entender el entorno que se nos presenta. Cuando abrimos el navegador web vemos que nos presenta una pantalla casi sin opciones, pero esto no es así, ya que si conocemos su funcionamiento veremos que podemos gestionar gran número de cosas.

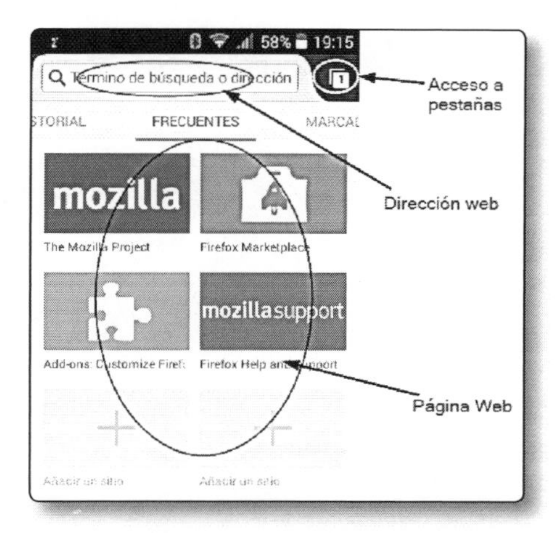

Figura 3.15. Mozilla Firefox para móvil recién abierto

En este caso las pestañas no se mostrarán, en su lugar veremos el icono que nos muestra el número de pestañas activas. Si pulsamos sobre él, ya sí veremos el contenido de las mismas.

Figura 3.16. Pestañas dentro de Mozilla Firefox para móvil

Por lo demás, las opciones se nos mostrarán al pulsar el botón de opciones del móvil.

3.2.3 Google Chrome

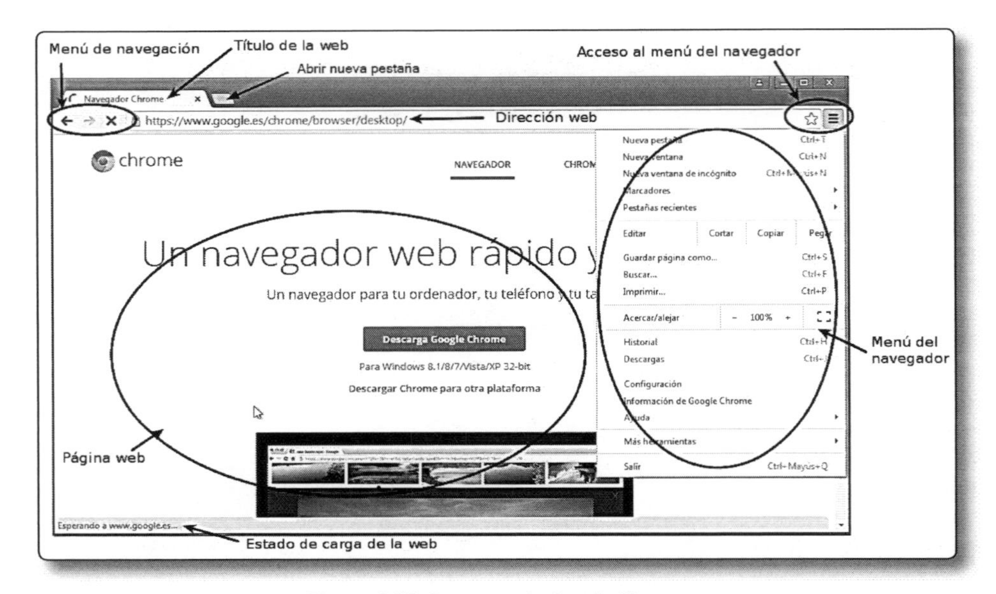

Figura 3.17. Esquema de Google Chrome

Al igual que pasa con los navegadores web anteriores, Google Chrome también tiene elementos comunes que ya han sido descritos anteriormente. Como elementos propios tenemos:

- En el menú de navegación se incluye la **X**, que nos permitirá anular la carga de la web.
- El menú del navegador es más parecido al presentado por Internet Explorer, pero nos presenta acciones útiles, como pasa en el caso de Mozilla Firefox, integradas en el mismo. Tales como el **zoom**.

En las funcionalidades presentadas anteriormente también cambia el acceso a la eliminación de los datos almacenados en el navegador web. Como podemos ver en la imagen, basta con que seleccionemos las opciones **Más herramientas** > **Borrar datos de navegación**.

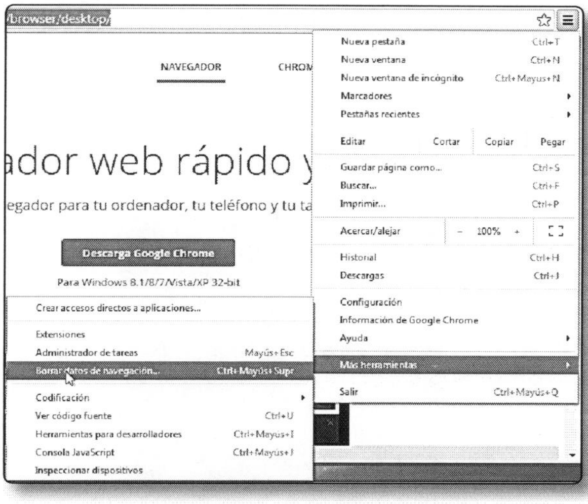

Figura 3.18. Borrar los datos de navegación en Google Chrome

3.2.3.1 GOOGLE CHROME EN EL MÓVIL

Si Mozilla Firefox nos ofrece una versión para móvil con sistema operativo Android (prácticamente en la mayoría de los *smartphones*), Google Chrome no es menos. Igualmente nos da la opción de poder trabajar sobre estos dispositivos cada vez más actuales.

Figura 3.19. Google Chrome para móvil recién abierto

El funcionamiento es igual que en el caso de Mozilla Firefox, aunque al solicitar que se nos muestren las pestañas abiertas, se nos mostrará un entorno diferente al visto en dicho programa, bastante más sobrio.

Figura 3.20. Pestañas dentro de Google Chrome para móvil

3.3 REALIZAR DESCARGAS CON EL NAVEGADOR WEB

Cuando descargamos cualquier programa desde Internet, se nos guardará en la carpeta **Descargas**, situada dentro de **Mis documentos**. Este será el lugar de descarga predeterminado.

Si por algún motivo no encontramos el contenido descargado en dicha ubicación, puede ser porque se haya cambiado el destino predeterminado. Para comprobar el destino actual lo haremos de la siguiente manera, dependiendo del navegador web.

- **Internet Explorer**: dentro del **menú del navegador web**, pulsaremos sobre **Descargas**, y en la ventana que se nos abre, en la parte inferior seleccionaremos **Opciones**. De esta manera se nos abrirá una segunda ventana que nos mostrará la ubicación de las descargas configurada.

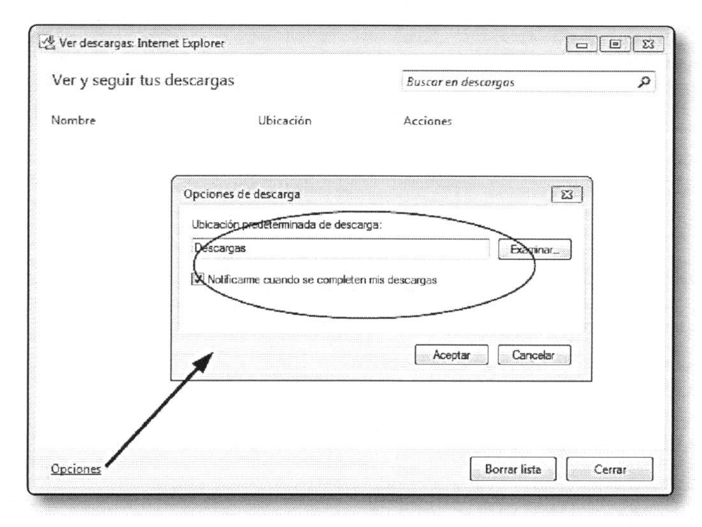

Figura 3.21. Configuración de la ubicación de descarga en Internet Explorer

- **Mozilla Firefox**: accederemos al **menú del navegador web**, y dentro de él pulsaremos sobre **Opciones**. En la ventana que se nos abre nos aseguraremos de estar en la pestaña **General** y observaremos en qué ubicación se descargan los documentos en el apartado **Descargas**.

Figura 3.22. Configuración de la ubicación de descarga en Mozilla Firefox

- **Google Chrome**: en Google Chrome es algo más elaborado. Accederemos al **menú del navegador web**, y en el listado que nos aparece pulsaremos sobre **Configuración**. Esto nos abrirá una nueva pestaña en la que en la parte inferior veremos que pone **Más opciones avanzadas**. Tendremos que pulsar para que se extienda el contenido y bajaremos hasta llegar a **Descargas**.

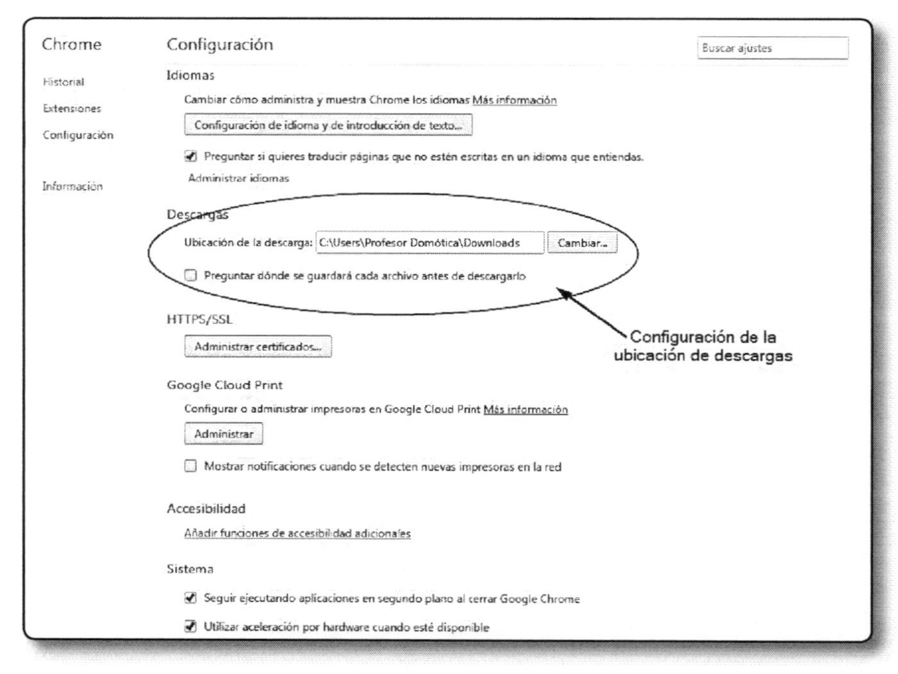

Figura 3.23. Configuración de la ubicación de descarga en Google Chrome

3.4 INSTALACIÓN DE MOZILLA FIREFOX O GOOGLE CHROME

La instalación en ambos casos será similar. Simplemente tendremos que descargar el programa desde su página web. Para ello podemos hacer uso del navegador web Internet Explorer que vendrá preinstalado en Microsoft Windows.

En el apartado de direcciones web pondremos la siguiente dirección, dependiendo del navegador web elegido para instalar:

- **Mozilla Firefox**, teclearemos https.

Figura 3.24. Página web para la descarga de Mozilla Firefox

- **Google Chrome**, teclearemos https/.

Figura 3.25. Página web para la descarga de Google Chrome

Una vez descargado el programa solo tendremos que ejecutarlo pulsando doble **clic** del ratón sobre el archivo. Por lo demás el proceso de instalación pasa por leer las diferentes cuestiones que se nos van planteando y darle a **Siguiente**.

RETO

Instalar alguno de los navegadores web que no tengamos en nuestro ordenador.

RESUMEN

- Navegador web: programa que nos permite ver páginas web en los diferentes dispositivos (ordenador, *smartphone*...).
- *Smartphone*: teléfono móvil inteligente. La gran mayoría de los teléfonos móviles actuales.
- Datos de navegación: estos datos pueden ser el nombre de usuario de nuestros correos, las contraseñas, las direcciones web que hemos visitado...

4

BUSCADORES

Trabajar inicialmente con un buscador web es sencillo, pero cualquiera de los buscadores disponibles actualmente nos ofrece funcionalidades que amplían sus posibilidades y nos ayudan a realizar tareas de manera centralizada.

De esta manera podemos buscar de manera avanzada consiguiendo así resultados más concretos o realizar búsquedas temáticas.

Pues bien, en este capítulo vamos a introducir el uso de los principales buscadores web en Internet. Aunque con mucha diferencia tenemos a Google.

4.1 ¿QUÉ ES UN BUSCADOR WEB?

Pues un buscador web no es más que una página web que nos permite introducir datos de búsqueda y nos va a transmitir un resultado conforme a esos datos. Hoy en día los buscadores son un gran almacén de datos de todo tipo que puede llegar a sorprender al usuario con los resultados mostrados.

No tiene límite, hasta tal punto que podemos encontrar información de nosotros mismos en ellos. Basta con teclear nuestro nombre completo y ver toda la información que tiene sobre nosotros almacenada.

Ilustración 4.1. En la web podemos encontrar mucho más

4.2 ¿CÓMO FUNCIONA?

Como hemos dicho el funcionamiento es altamente sencillo. Lo primero que tendremos que hacer es decidir qué buscador utilizar y posteriormente teclearemos su dirección web en el navegador web utilizado. Nosotros vamos a presentar 3 casos:

- **Google**: su dirección web es ***HTTP://GOOGLE.COM***.

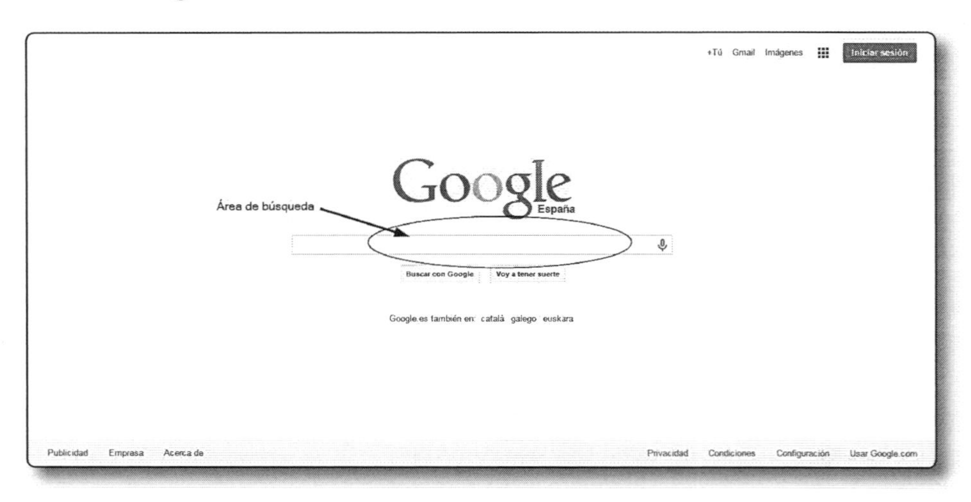

Figura 4.1. Buscador Google recién abierto

- **Bing**: con la dirección web *http://bing.es*.

Figura 4.2. Buscador Bing recién abierto

- **Yahoo**: esta tercera alternativa la encontramos en *http://yahoo.es*.

Figura 4.3. Buscador Yahoo recién abierto

Abierto el navegador sobre el que queremos realizar la búsqueda, lo único que tenemos que hacer es teclear las palabras o frases sobre las que queramos que se nos muestren resultados.

Por ejemplo, si queremos que nos muestre información sobre el tiempo en España, teclearemos en el **área de búsqueda** las palabras "tiempo" y "España", o bien la frase "tiempo en España". No son necesarias las comillas.

Dependiendo del buscador, se mostrará información diferente, pero toda relacionada con el tiempo en España.

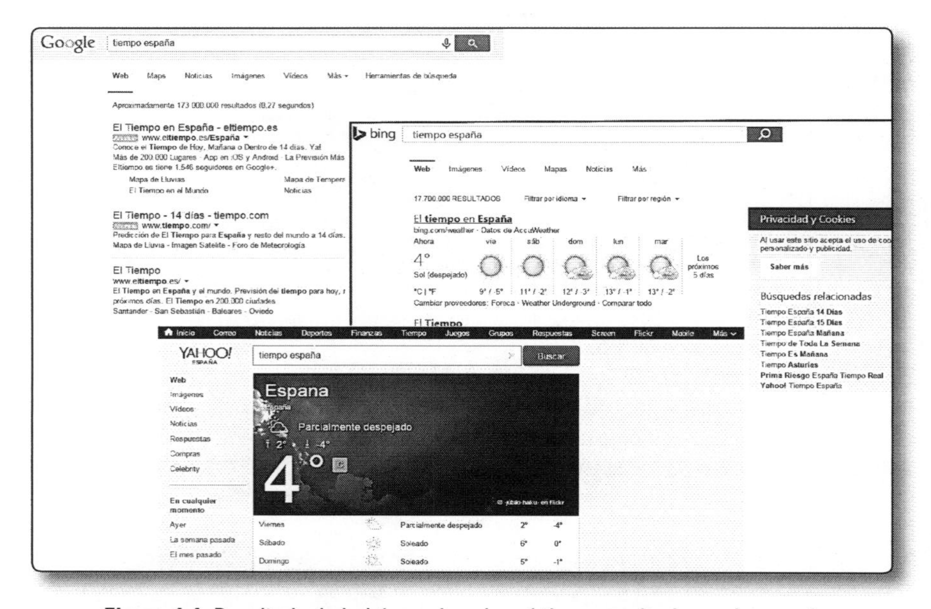

Figura 4.4. Resultado de la búsqueda sobre el tiempo en los buscadores web

Los resultados de las búsquedas tienen un esquema común en el que se presentan los accesos a las diferentes webs que muestran contenido relacionado con la búsqueda.

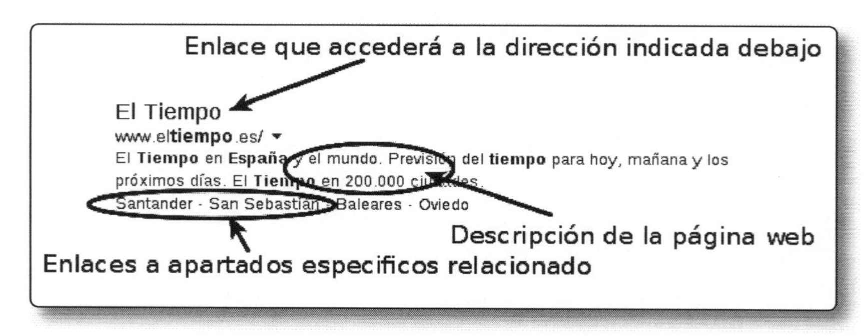

Figura 4.5. Detalles de los resultados de búsqueda

Por tanto, para ver el contenido de una determinada página bastará con pulsar sobre el enlace deseado.

RETO

Elige un buscador web, haz una búsqueda con tu nombre completo y mira qué sale.

4.3 BÚSQUEDAS AVANZADAS

Al realizar la búsqueda podemos concretar los resultados acotándolos a una fecha, país de publicación, idioma u otros aspectos concretos. Para ello, haremos uso de las herramientas que el navegador nos presenta.

- **Google**: aquí tendremos que pulsar sobre **Herramientas de búsqueda**. De esta manera se nos desplegarán las diferentes opciones de concreción.

Figura 4.6. Herramientas de búsqueda en Google

- **Bing**: el caso de este buscador es similar, aunque aporta menos opciones. Además se nos muestran directamente, no teniendo que darle a ninguna parte del buscador para ello.

Figura 4.7. Herramientas de búsqueda en Bing

- **Yahoo**: las opciones de búsqueda de este buscador se nos muestran a la izquierda, y aparecen totalmente desplegadas. Tras pinchar sobre cualquiera de las opciones se concretará la búsqueda con dichos parámetros.

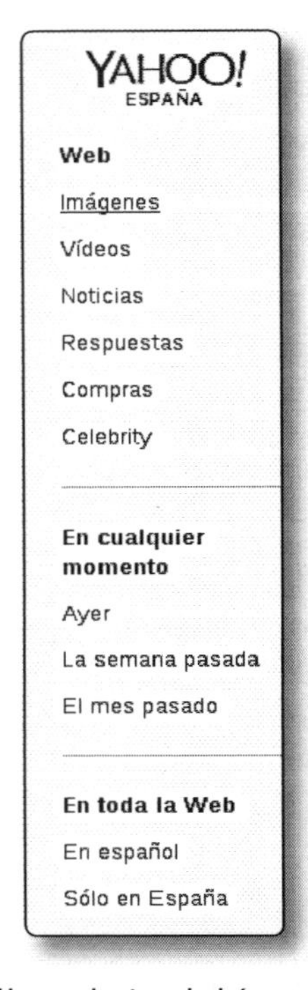

Figura 4.8. Herramientas de búsqueda en Yahoo

4.4 OTRAS FUNCIONALIDADES DE LOS BUSCADORES

Aunque en origen los buscadores web lo único que pretendían es darnos resultados de páginas web que contuvieran las palabras que se buscaban, en la actualidad esta es solo una de sus finalidades. Hoy en día los buscadores web Google y Bing nos van a permitir:

- Buscar imágenes.
- Buscar noticias.
- Buscar vídeos.
- Buscar localizaciones en mapas.

La búsqueda de este contenido se realiza a través de los accesos que se nos presentan debajo de la casilla de inserción de palabras de búsqueda en el caso de Google y en la parte superior del buscador en Bing.

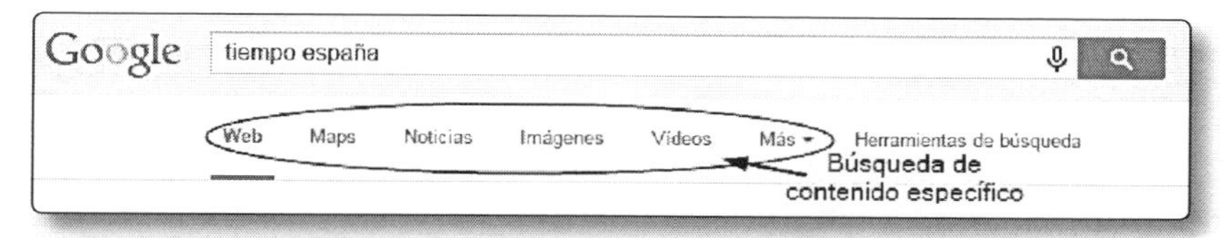

Figura 4.9. Zona de búsqueda de contenido específico en Google

Figura 4.10. Zona de búsqueda de contenido específico en Bing

El proceso es muy sencillo, basta con que insertemos las palabras de búsqueda, como en el caso anterior, y en lugar de pulsar la tecla **Enter**, o sobre el icono de búsqueda, pulsaremos sobre el tipo de contenido a buscar, ya sea este motivo **imágenes**, **vídeos** o **noticias**.

RETO

Elige un buscador web, haz una búsqueda con tu nombre completo, pero esta vez en los apartados de imágenes, noticias y vídeos. Comprueba si sale algo que te haga referencia.

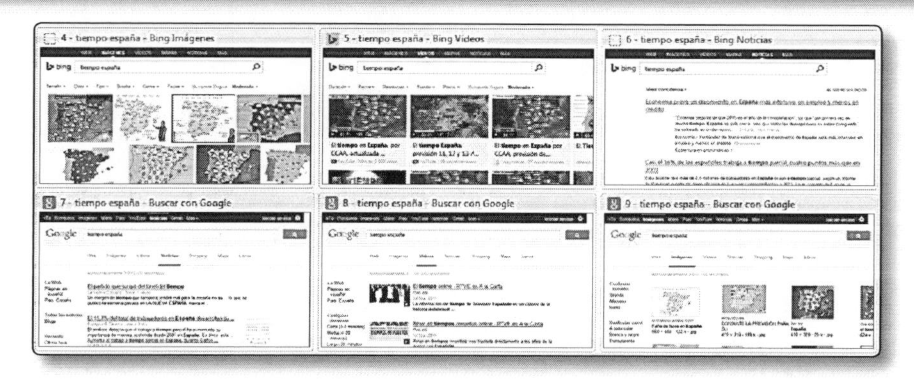

Figura 4.11. Resultado de la búsqueda de imágenes, vídeos y noticias en Bing y Google respectivamente

4.4.1 Mapas

Como hemos dicho en el inicio del apartado, también podemos trabajar con búsqueda de mapas y lugares concretos. Para ello accederemos a **Maps** en el caso de Google o **Mapas** en el caso de Bing.

Si hemos introducido alguna palabra antes de pulsar sobre dicho enlace, se nos mostrará la ubicación de empresas u organismos públicos que tengan relación con ellas. Evidentemente en esta aplicación web podemos hacer búsqueda de direcciones concretas, con la intención de ubicarlas en el mapa.

Figura 4.12. Resultado de la búsqueda de mapas en Google

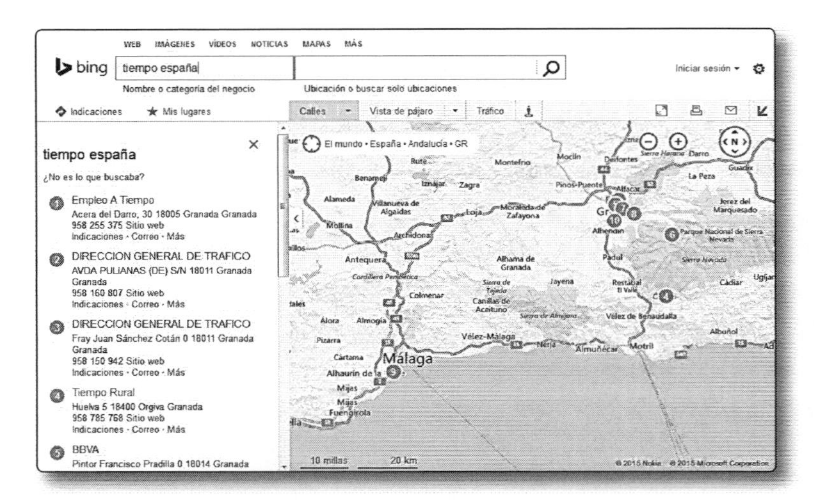

Figura 4.13. Resultado de la búsqueda de mapas en Bing

RETO

Localiza en el mapa tu lugar de residencia. Para ello, escribe tu dirección exacta y observa el resultado de la búsqueda.

4.4.1.1 USAR GOOGLE MAPS

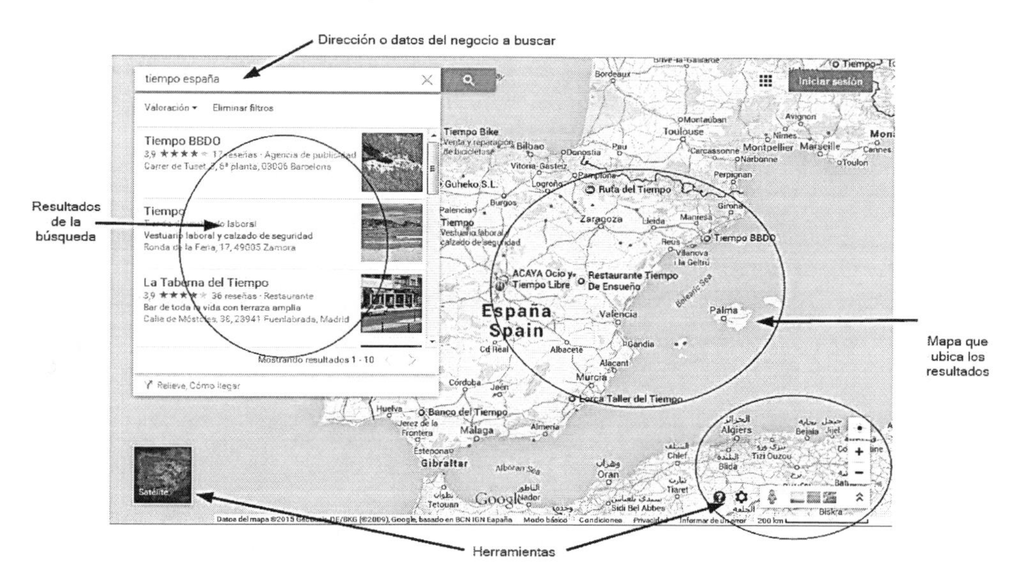

Figura 4.14. Partes de Google Maps

Quizás lo más específico y que no entenderemos a priori sea el uso de las diferentes herramientas que Google Maps nos ofrece.

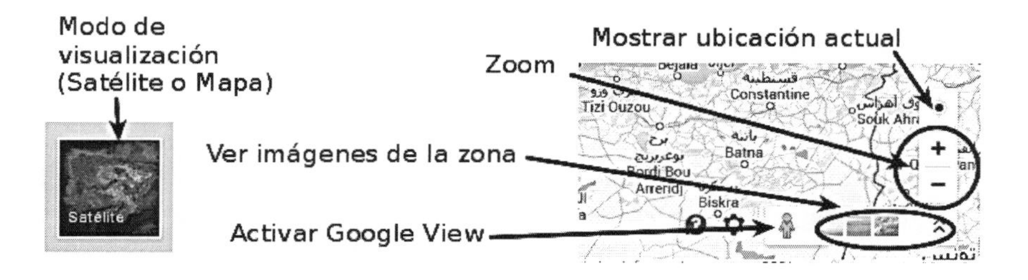

Figura 4.15. Herramienta de Google Maps

El modo de visualización nos permite ver la vista satélite o en formato de un mapa clásico. Por su parte, Google View nos presenta imágenes a pie de calle. Estas imágenes han sido tomadas desde un dispositivo montado en un coche o en una bicicleta.

4.4.1.1.1 Google View

Para trabajar con Google View lo que haremos es localizar la calle que queremos visualizar y arrastrar con el ratón sobre ella al hombrecito.

Figura 4.16. Herramienta de Google Maps

Las herramientas son las mismas. Además podremos movernos en la dirección que queramos pulsando sobre el límite que queramos. Bien sea este el superior, inferior, derecho o izquierdo. Si queremos avanzar por el camino pulsaremos en el centro.

4.4.1.1.2 Calcular rutas en Google Maps

Buscar direcciones o negocios concretos no es lo único que nos permiten estas herramientas de mapas. También podemos calcular rutas con la intención de preparar itinerarios, bien sean estos en coche o andando.

Para preparar una ruta, buscaremos la dirección de destino. De esta manera en la ventana de búsqueda se desplegará una herramienta no descrita antes.

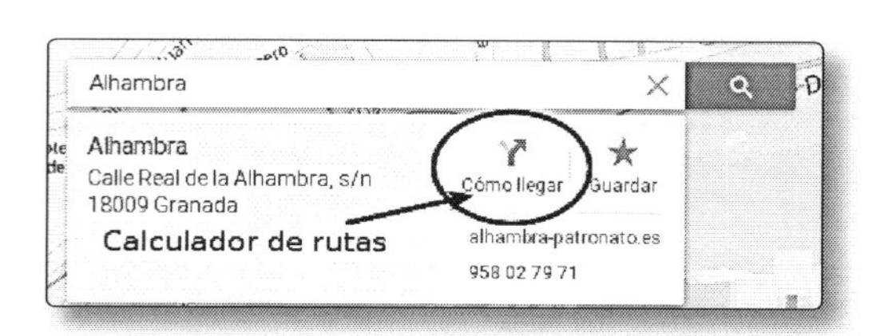

Figura 4.17. Cómo llegar

Pulsaremos sobre **Cómo llegar**, y en este momento se nos mostrará un formulario ampliado que nos solicitará origen y modo de llegar.

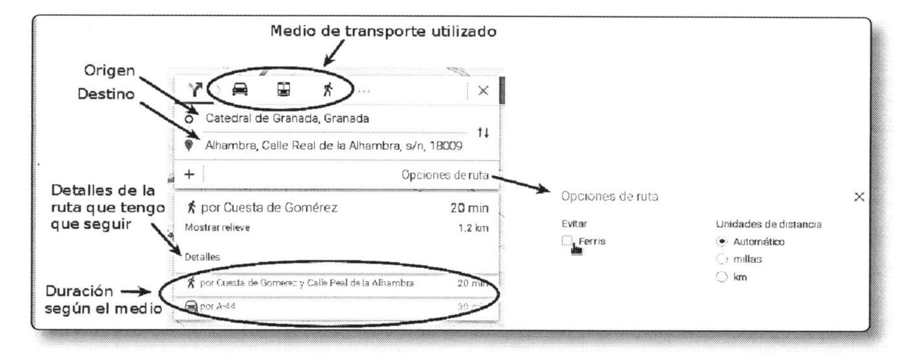

Figura 4.18. Menú de Cómo llegar

Al pulsar en detalles se nos mostrará la ruta con el medio deseado y nos dará la opción de imprimirla.

Figura 4.19. Detalle de la ruta

4.4.2 Usar Mapas de Bing

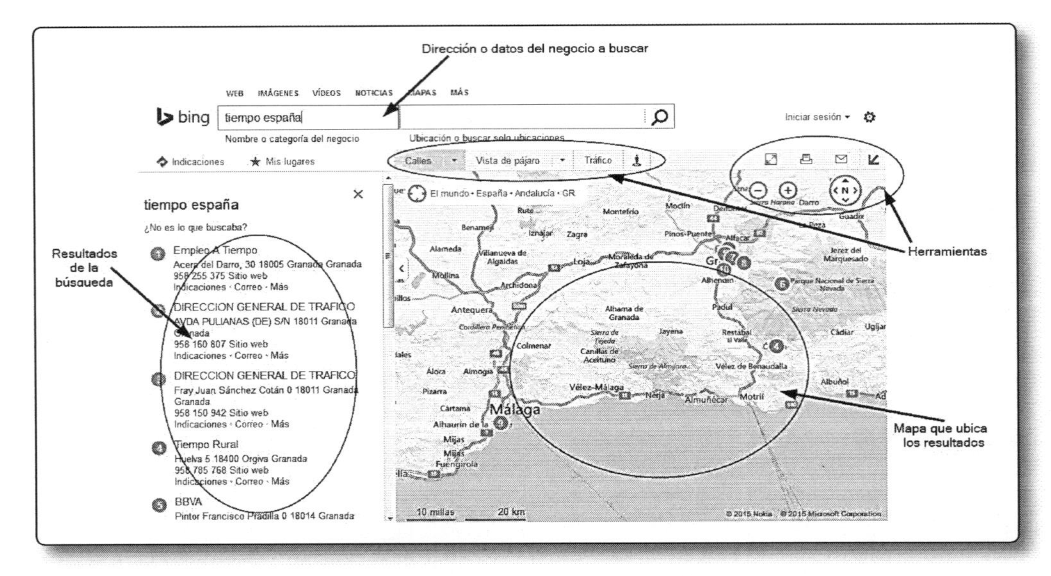

Figura 4.20. Partes de los mapas de Bing

El funcionamiento de los mapas de Bing es similar al de Google, cambia la distribución de las herramientas pero se muestra una funcionalidad similar.

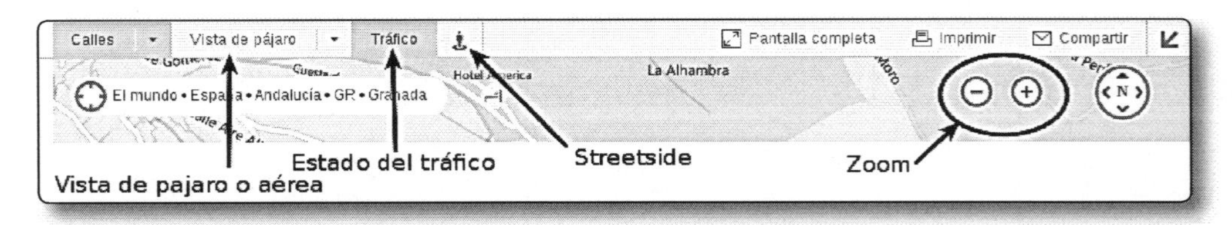

Figura 4.21. Herramientas de los mapas de Bing

En cuanto al **Streetside** no contiene tanta información como en el caso de Google, y en algunas ciudades son pocas o ninguna las zonas que se muestran.

4.4.2.1 CALCULAR RUTAS EN LOS MAPAS DE BING

Por otro lado, si queremos calcular una ruta podemos hacerlo pulsando sobre **Indicaciones**. Y rellenando el formulario.

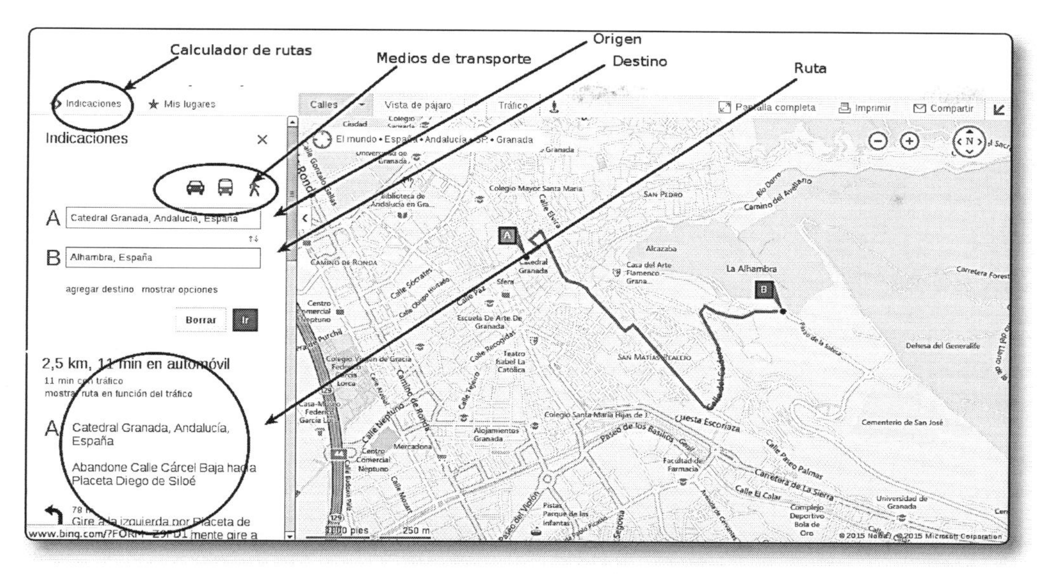

Figura 4.22. Calculador de rutas de los mapas de Bing

RESUMEN

- Street View: posibilidad de ver partes de una determinada ciudad como si fuéramos en un vehículo. Desarrollado por Google.
- Streetside: es la alternativa a Street View de Bing.

5

CORREO ELECTRÓNICO

Una de las herramientas de comunicación más importantes de la actualidad es el correo electrónico. Además pretende tener un canal fluido de conexión entre diferentes personas.

Además, en la actualidad, esta herramienta es especialmente interesante al estar asociada a múltiples aplicaciones en Internet como redes sociales, foros, áreas de descarga, herramientas ofimáticas... Estas aplicaciones en algunos casos son aplicaciones propias de la misma empresa que nos ofrece el correo electrónico gratuito, como es el caso del correo Google Gmail con todas las aplicaciones de Google asociadas a él, o Hotmail y sus aplicaciones. O de accesos acordados, como puede ser igualmente la cuenta de Google Gmail y la de Hotmail con herramientas de terceros.

Aunque en este capítulo hablaremos de opciones tales como las ofertadas por Google, Microsoft o Yahoo, debe saber el lector que no son las únicas alternativas y lo podemos ver con una simple búsqueda en el buscador deseado de las palabras "correo" y "gratuito".

5.1 GESTOR DE CORREO ELECTRÓNICO

Como hemos introducido, nos vamos a centrar en tres propuestas, tres opciones de diferentes empresas. En cada uno de los casos tendremos que acceder a la página web propia del correo electrónico web:

- **Google Gmail**: su dirección web es *http://gmail.com*.

Figura 5.1. Correo electrónico Google Gmail recién abierto

- **Microsoft Hotmail**: con la dirección web *http://hotmail.es*.

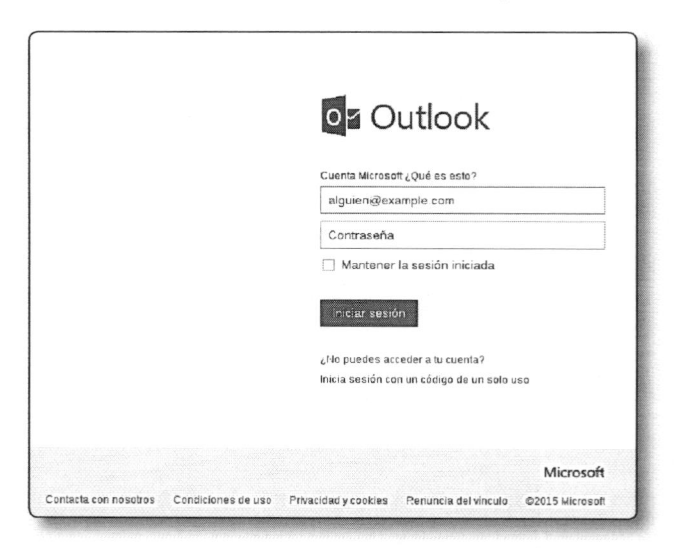

Figura 5.2. Correo electrónico Microsoft Hotmail recién abierto

- **Yahoo**: se accede desde *http://login.yahoo.com*.

Figura 5.3. Correo electrónico Yahoo recién abierto

Habiendo accedido a la dirección del correo electrónico deseado, lo primero que tendremos que hacer es asegurarnos de haber registrado una cuenta. En los tres casos se nos ofrece el registro de la cuenta de manera gratuita. Esto es gracias al acuerdo en el que aceptamos que la empresa acceda a los datos que aportamos, así como a la información que fluirá por la cuenta con los correos de entrada y salida. Datos que manejarán de manera interna, tal y como se fija en los **términos de uso**.

NOTA

Se recomienda encarecidamente que se lean los acuerdos de uso de TODA cuenta o servicio que se cree, o se contrate en Internet.

La creación de la cuenta en cada caso se llevará a cabo pulsando sobre la opción de creación de cuenta de cada uno de los casos:

- **Google Gmail**: pulsaremos sobre **Crear una cuenta**.

Figura 5.4. Opción de creación de cuenta de Google Gmail

- **Microsoft Hotmail**: pulsaremos sobre **Regístrate ahora**.

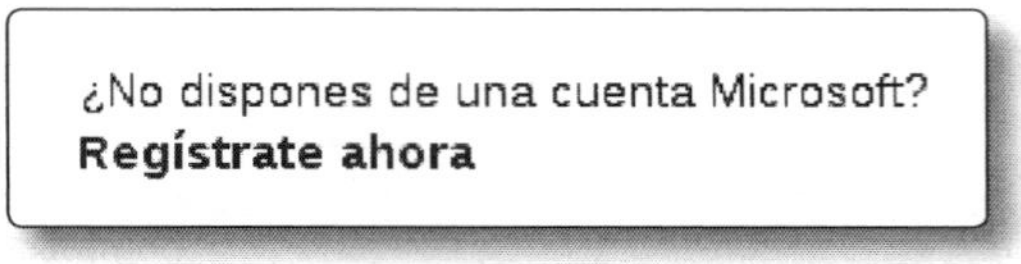

¿No dispones de una cuenta Microsoft?
Regístrate ahora

Figura 5.5. Opción de creación de cuenta de Microsoft Hotmail

- **Yahoo**: la opción en este caso es **CreateAccount**.

Figura 5.6. Opción de creación de cuenta de Yahoo

Solo quedará rellenar los datos que se nos solicitan en el formulario y pulsar la opción de aceptación o registro. Los principales datos en ambos registros son:

- **Nombre de usuario**: o ID de Yahoo, es el nombre que tendremos asociado a nuestro correo. Este será el que daremos a quien queramos que nos escriba. Algo así como nuestra dirección postal en el correo ordinario.

  Este nombre de usuario vendrá asociado a otros datos:

  - **@gmail.com**, **@hotmail.com** o **@yahoo.es**. Este es el identificador que indica quién es la empresa que nos ha aportado el correo electrónico. Por lo tanto nuestra dirección de correo electrónico quedará de la forma:

    Nombre_de_usuario@gmail.com

- **Contraseña**: será nuestra clave de autentificación para poder acceder al correo electrónico. Las contraseñas deben tener 8 caracteres como mínimo y se recomienda que contengan al menos dos de los siguientes elementos: mayúsculas, minúsculas, números y símbolos. En el caso de Hotmail esto es obligatorio.

NOTA

La contraseña se nos solicitará dos veces para asegurar que la hemos puesto bien.

¡Muy IMPORTANTE!, no pondremos la contraseña que usemos en cuentas bancarias o similar.

Una vez creada la cuenta, solo queda acceder a ella desde la página de acceso de dicho correo electrónico, haciendo uso de nuestro nombre de cuenta y nuestra contraseña.

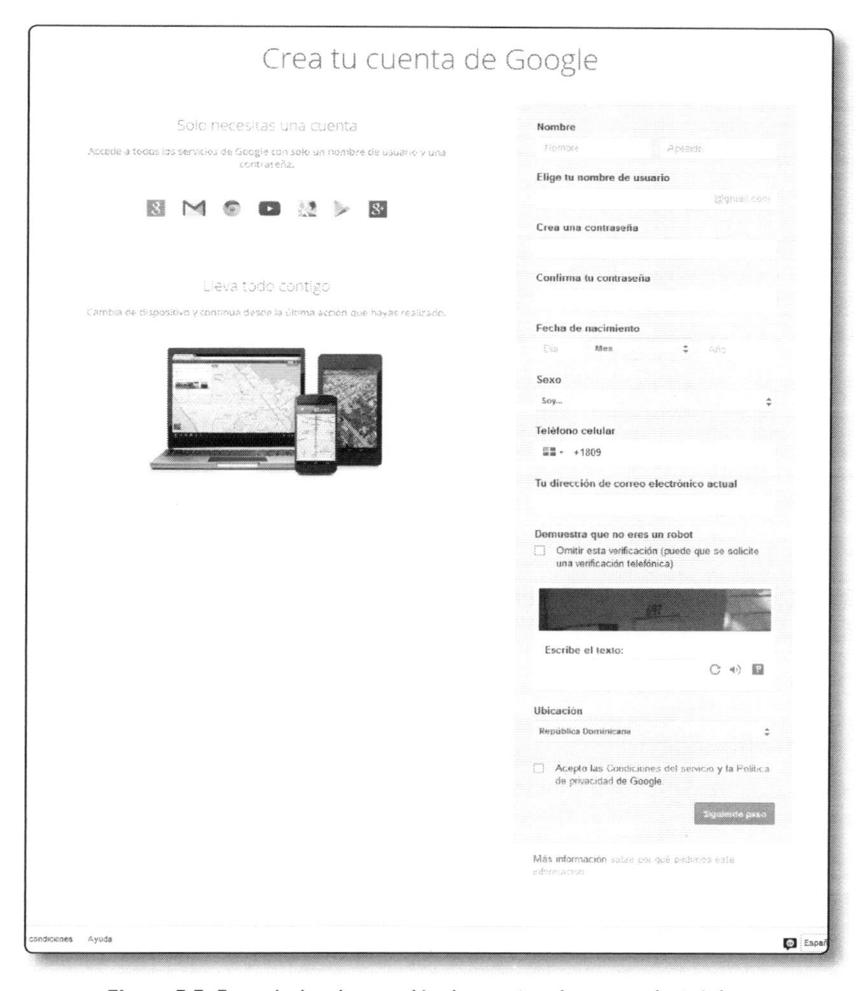

Figura 5.7. Formularios de creación de cuentas de correo electrónico

5.1.1 Google Gmail

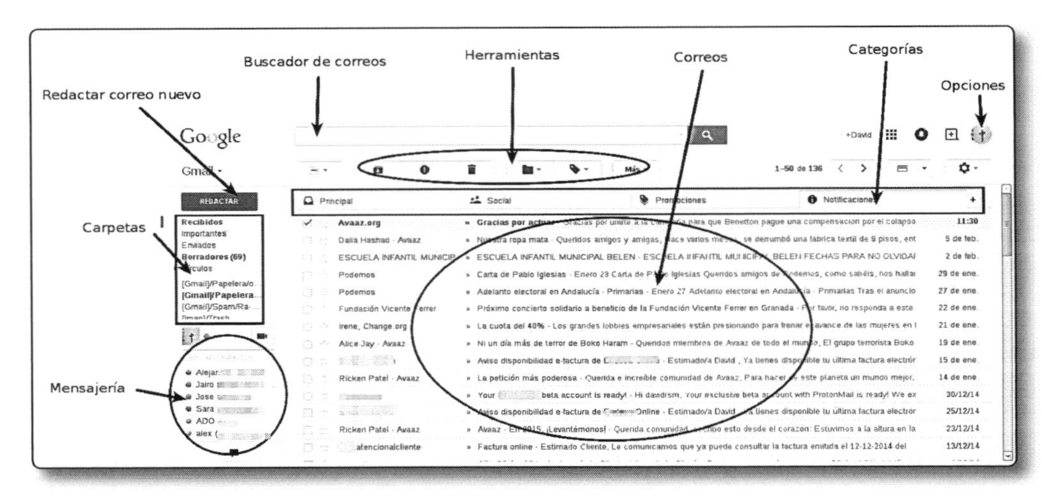

Figura 5.8. Estructura de Gmail

Cuando abrimos Google Gmail, lo primero que se nos mostrarán serán los **correos** electrónicos que hemos recibido nuevos. Estos aparecerán en el apartado central con el texto en negrita. Para acceder a cualquiera de los no leídos, o de los ya vistos, pulsaremos sobre ellos.

NOTA
Cada uno de los correos recibidos estará formado por el correo o nombre de la persona u organización que lo manda y el asunto del que trata dicho correo.

En el área izquierda tenemos el acceso a las **carpetas**. Entre las principales tenemos:

- **Recibidos**: bandeja de correos recibidos. Google Gmail hace una clasificación inteligente del correo recibido. Para ello, lo divide en **categorías**.

NOTA

Aunque normalmente es bastante acertado en su clasificación, es recomendable no fiarse del todo y visitar todas las categorías de vez en cuando, con la intención de que no se nos pase un correo recibido que nos interese.

- **Enviados**: cada correo que enviemos dejará una copia en dicha bandeja. De esta manera podremos llevar un control de los mismos.
- **Papelera**: los correos que borramos se mandan a esta papelera. Su función es similar a la papelera de los sistemas operativos como Microsoft Windows. Pasado un tiempo en la papelera serán borrados definitivamente.

5.1.1.1 MANDAR CORREO NUEVO

Para crear un correo nuevo pulsaremos sobre **Redactar**. Al hacer esto se nos presentará una nueva ventana en la parte inferior derecha sobre la que podremos crear el correo electrónico nuevo.

Figura 5.9. Redacción de un correo electrónico en Google Gmail

En esta ventana tendremos que rellenar los diferentes apartados:

- **Para**: donde pondremos la dirección de correo electrónico de la persona que queramos que reciba dicho correo electrónico. La dirección de correo electrónico recordamos que será parecida a nombre@gmail.com. Podemos añadir varios destinatarios separándolos de un espacio.

NOTA

Las opciones **CC** y **CCO** nos mostrarán unas casillas similares a **Para**. La diferencia entre ambos es:

- **CC**: Con Copia. El correo original se manda a **Para**, y se manda igualmente copia a los **CC**.
- **CCO**: es igual al anterior, solo que los que reciban la copia no verán a los demás destinatarios. Si mandamos un correo CCO a Mar y Clara, ellas sabrán que les hemos mandado un correo, pero no que se lo hemos mandado también a la otra persona.

- **Asunto**: en una frase corta pondremos de qué trata el correo. Esto es lo que se ve en la bandeja de entrada de correo. Es equivalente a cuando mandamos un fax.

NOTA

El texto podremos formatearlo, como en el caso de Microsoft Word o LibreOfficeWriter, gracias a las herramientas de formateo que se nos muestran en la parte inferior. Pudiendo establecer color de texto, textos en negrita o cursiva, así como otros aspectos similares a dichos editores de texto.

- **Adjuntar archivos (el clip que aparece en la parte inferior)**: al pulsar en esta opción podremos añadir imágenes u otro tipo de fichero al correo electrónico. Tendremos que indicar dónde está almacenado dicho fichero en nuestro ordenador.

- **Enviar**: cuando todo esté redactado y añadido, le daremos a dicho botón con la intención de que se envíe dicho correo y se nos almacene una copia del mismo en la carpeta de **enviados**.

5.1.1.2 RESPONDER O REENVIAR UN CORREO A OTROS

Cuando hemos recibido un correo, si nos interesa, puede que queramos hacerle llegar una copia a otras personas, con la intención de que ellos también puedan disfrutar de su contenido. También puede ser que queramos mandarle una respuesta a la persona que nos mandó el correo original.

Para ello, cuando hemos pulsado sobre un correo para ver su contenido veremos que se nos muestran una serie de botones nuevos.

Figura 5.10. Opciones del correo que estamos viendo en Google Gmail

Para realizar este envío pulsaremos sobre el botón indicado en la imagen anterior y seleccionaremos **Reenviar** o **Responder** dependiendo de qué queramos hacer.

En ambos casos se nos mostrará una ventana en la parte inferior. La diferencia entre ambas es que en el caso de **Reenviar** se nos muestra la casilla de **Para** y en la de **Responder** no, ya que se asume que responder tiene ya un **Para** asignado, que es el usuario de origen del correo electrónico recibido.

5.1.1.3 BUSCAR CORREOS

Actualmente, el número de correos electrónicos que tenemos en una cuenta puede ser muy alto. Esto hace que si en algún momento queremos localizar un correo electrónico concreto, sea difícil encontrarlo.

Por este motivo es habitual que en los correos electrónicos actuales se nos aporte un buscador. Este buscador nos ayudará a encontrar correos electrónicos que coincidan con el remitente, el asunto o el contenido del correo recibido o enviado.

5.1.1.4 CERRAR EL CORREO

Cuando terminemos de usar nuestro correo electrónico, pulsaremos sobre el menú de **opciones** y seleccionaremos **Cerrar sesión**.

Figura 5.11. Opciones de Google Gmail

5.1.2 Microsoft Hotmail

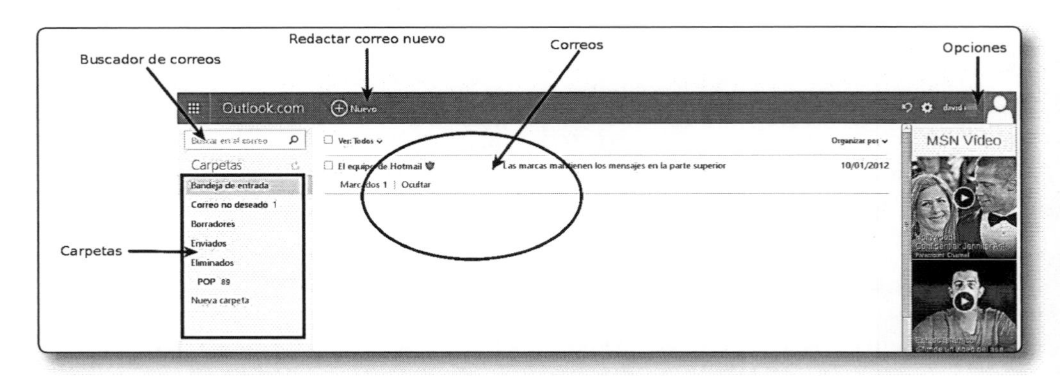

Figura 5.12. Estructura de Hotmail

Al igual que en capítulos anteriores, en este podremos asumir como entendidos ciertos aspectos. Si hemos entendido el uso de Google Gmail, podremos usar Hotmail sin muchos problemas, ya que las funcionalidades son similares y solo tendremos que localizar dónde se encuentra el botón en cada momento.

5.1.2.1 MANDAR CORREO NUEVO

Para mandar un nuevo correo en Microsoft Hotmail pulsaremos sobre **Nuevo**.

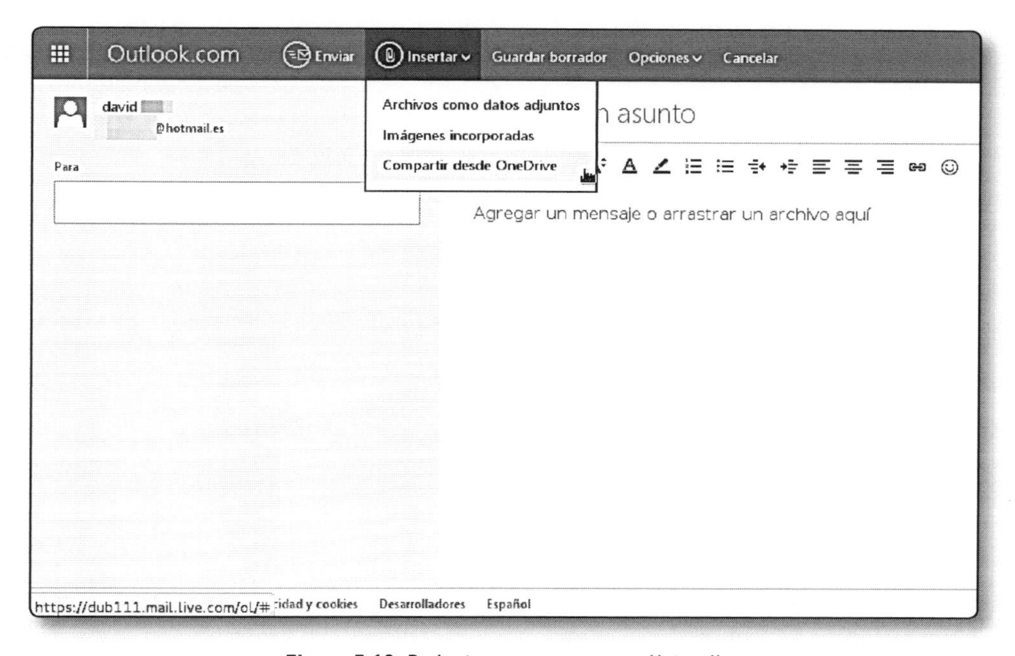

Figura 5.13. Redactar nuevo correo en Hotmail

En Hotmail, se nos crea una nueva ventana. **Para**, **CC** y **CCO** nos aparecen a la izquierda. Y la inserción de imágenes o ficheros la tenemos en la parte superior en **Insertar** > **Archivos como datos adjuntos**.

5.1.2.2 RESPONDER O REENVIAR UN CORREO A OTROS

Al igual que en el caso anterior, tenemos el menú de reenvío en la parte superior del correo que estamos visualizando.

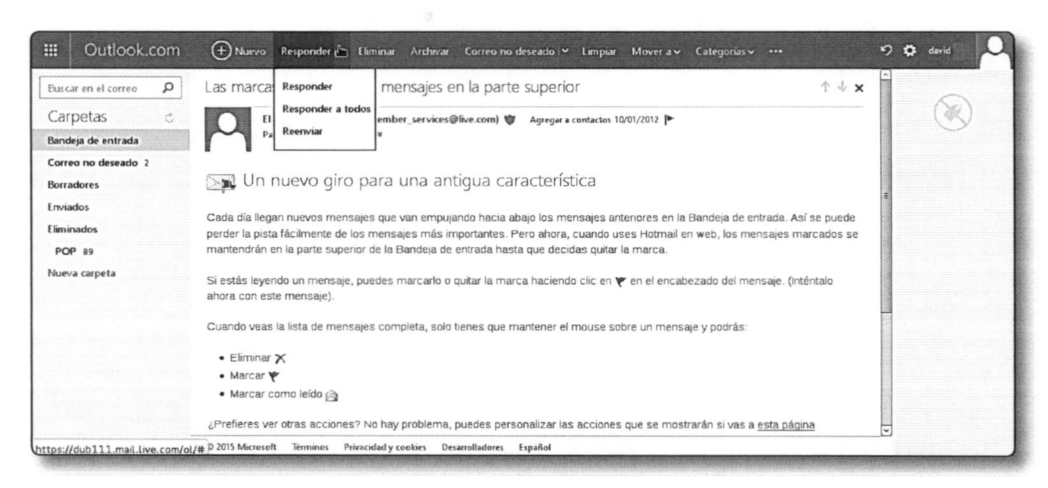

Figura 5.14. Opciones del correo que estamos viendo en Hotmail

5.1.3 Yahoo

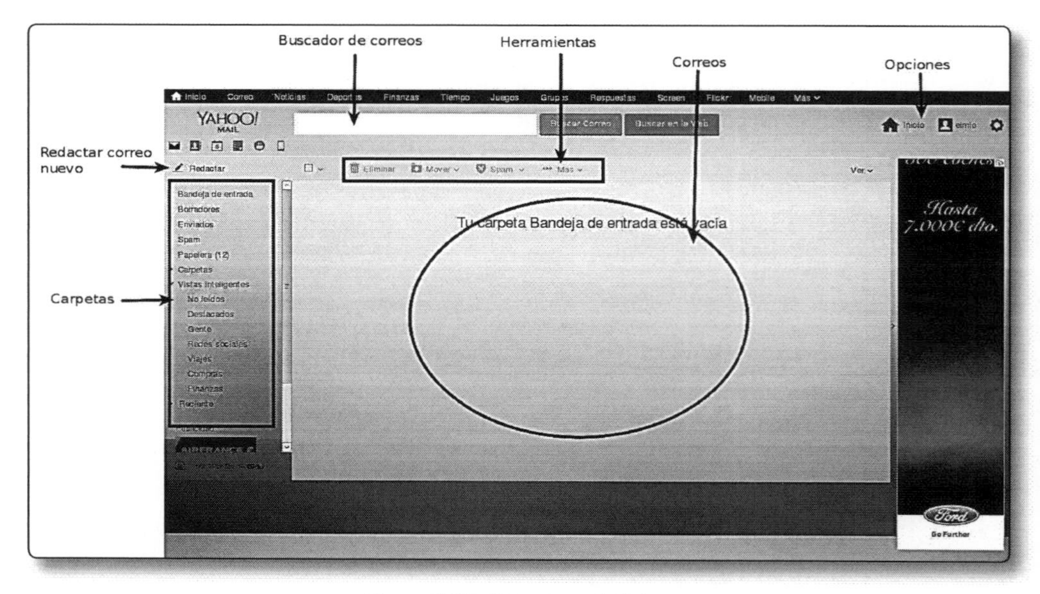

Figura 5.15. Estructura de Yahoo

Este caso no tiene nada que no podamos entender, si ya hemos comprendido el caso de Google Gmail.

5.2 GESTOR DE CORREO ELECTRÓNICO

Hasta ahora hemos visto cómo trabajar con las cuentas de correo electrónico desde Internet, pero no es la única manera que tenemos. También podemos trabajar con programas instalados en el sistema operativo de manera que los correos electrónicos dejen una copia en nuestro ordenador o *smartphone* y así poder ver dichos correos aunque no estemos conectados a Internet.

En el caso del ordenador nos vamos a centrar en el programa preinstalado con Microsoft Windows, llamado Outlook. Mientras que en el de los *smartphones* con el sistema operativo Android, usaremos su propio programa de correo electrónico.

RETO
Ya puedes crear tu cuenta y escribir a cualquiera de tus contactos.

5.2.1 Mozilla Thunderbird

Para presentar un gestor de correo electrónico que funcione bien para todos los correos electrónicos expuestos, vamos a trabajar con Mozilla Thunderbird, que trabaja a su vez en modo espejo. Es decir, mientras tengamos conexión lo que hará es un espejo de lo que tenemos en nuestro servidor de correo.

Para obtener la versión más reciente de Mozilla Thunderbird accederemos a la dirección web *http://www.getthunderbird.com/* y pulsaremos en el botón de **Descarga**.

Figura 5.16. Descarga de Mozilla Thunderbird

El proceso de instalación es equivalente al de cualquier otro programa. Podríamos resumirlo en que hay que pulsar la opción **Siguiente** hasta su final. De esta forma, y una vez instalado lo abriremos para configurarlo y trabajar con él.

La primera vez que lo ejecutemos nos pedirá datos de configuración que deberemos aportar para poder conectarnos con nuestra cuenta de correo electrónico. Estos datos son la dirección de correo electrónico completa, y la contraseña de acceso a este.

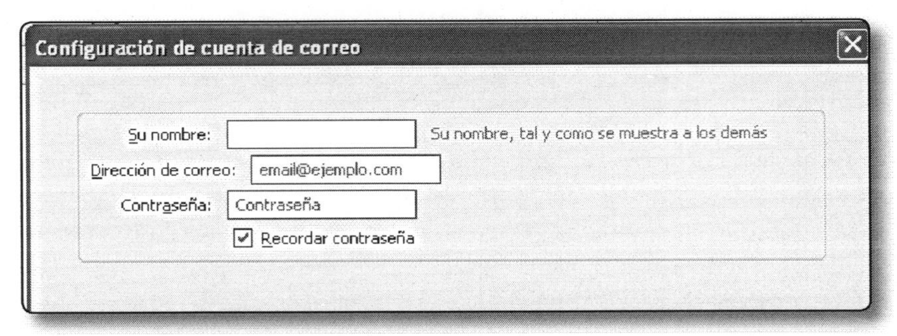

Figura 5.17. Petición de datos de cuenta en Mozilla Thunderbird

NOTA
Antes del proceso de inclusión de nuestros datos, se nos preguntará si queremos crear una cuenta de correo con una empresa diferente de las vistas en este tema. Pulsaremos sobre **Saltarse esto y usar mi cuenta de correo existente**.

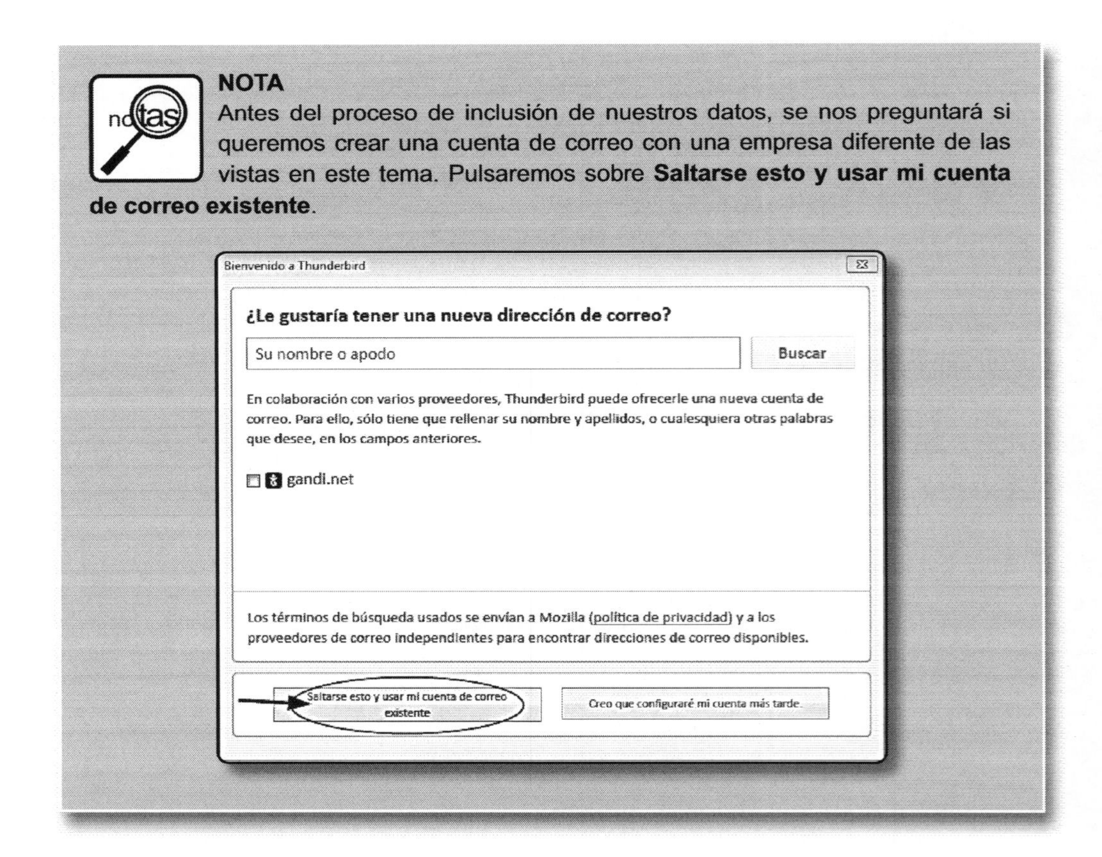

Tras esperar a ver si Mozilla Thunderbird es capaz de autoconfigurar el resto de la información que necesita, se nos pedirá que pulsemos el botón **Crear cuenta**. Pero antes tendremos que elegir si queremos que nuestro programa se conecte mediante IMAP, que no almacena el correo en nuestra máquina, o POP3, que sí:

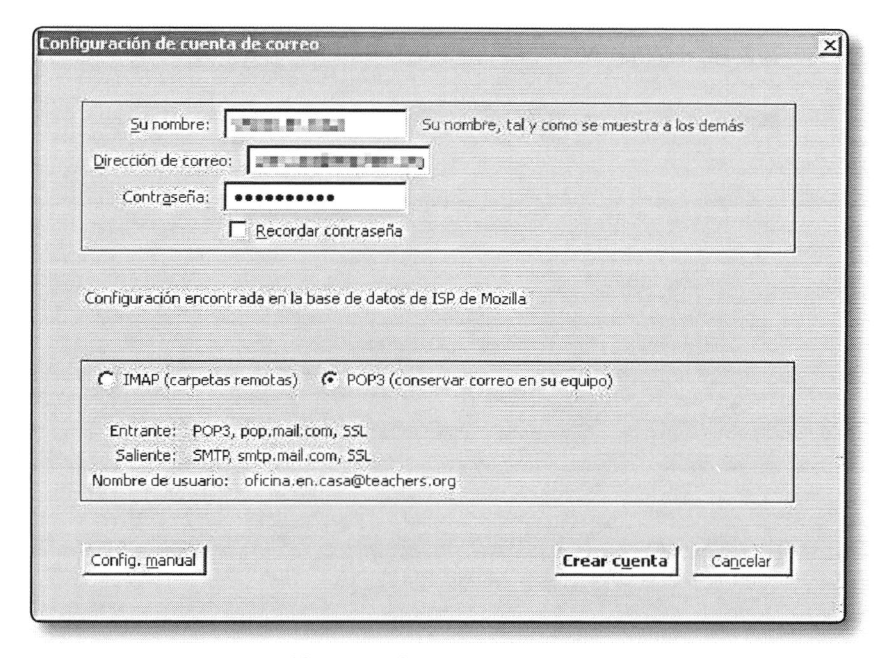

Figura 5.18. Autoconfiguración de servidores POP3

NOTA

Para comprobar que la configuración de nuestra cuenta es correcta, basta con esperar que termine de comprobar la contraseña que hemos escrito y la lectura del contenido de nuestra cuenta de correo en dicho servidor.

A partir de ahí el manejo de Mozilla Thunderbird es igual al de cualquier otro gestor de correo, ya sea vía web o cliente.

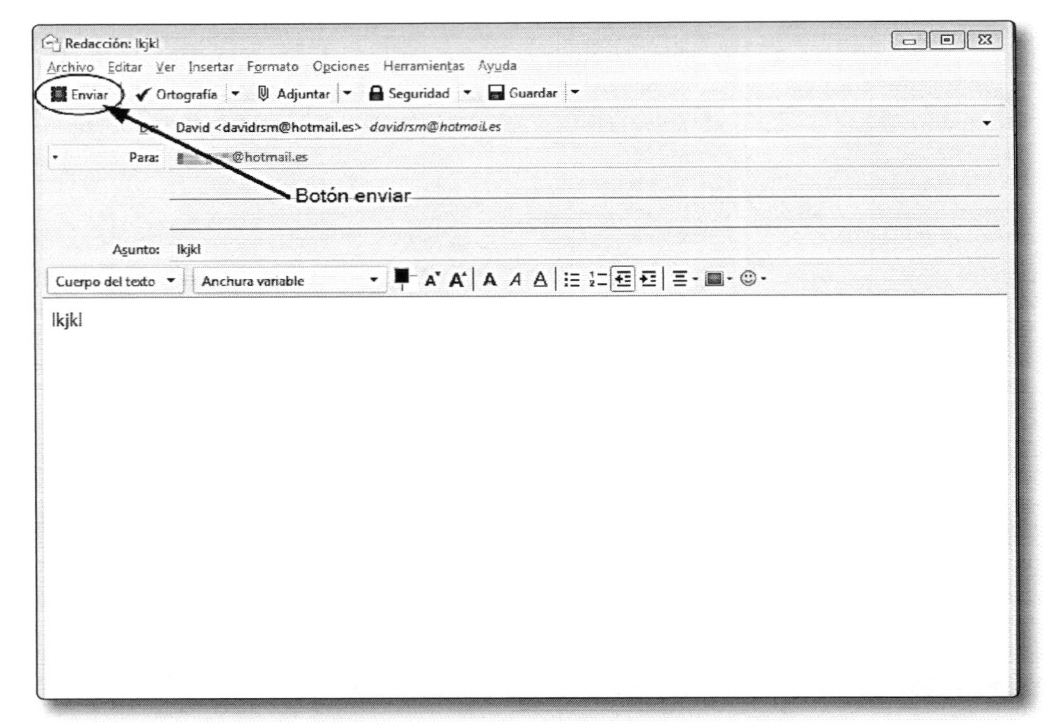

Figura 5.19. Estructura de Mozilla Thunderbird

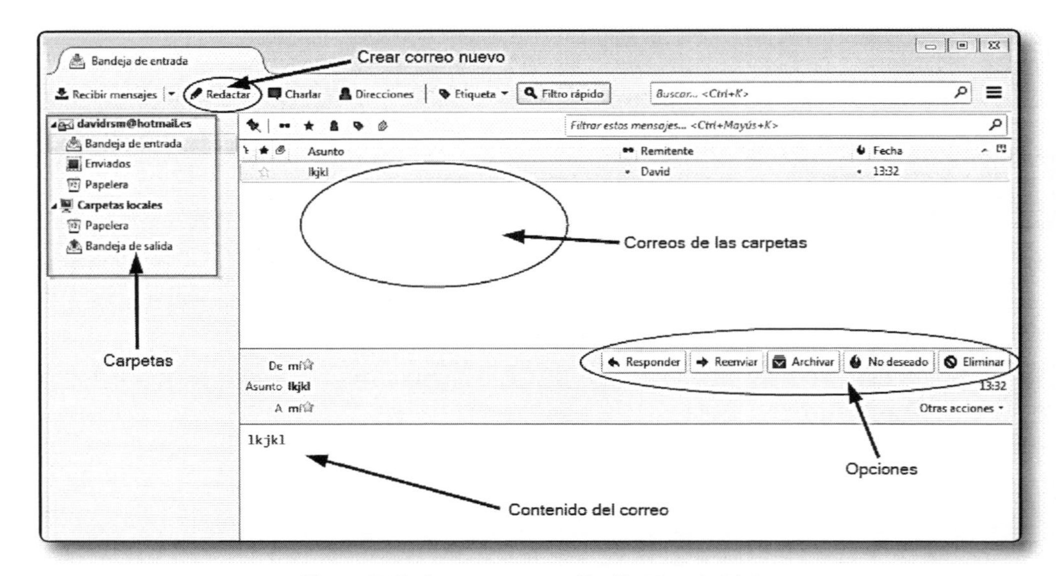

Figura 5.20. Correo nuevo en Mozilla Thunderbird

5.2.2 Gestor de correo electrónico de Android

Hasta ahora hemos visto cómo podemos gestionar nuestro correo electrónico desde un navegador web y desde nuestro ordenador personal o de la empresa. Pero si lo que queremos es tener acceso a él desde nuestro dispositivo móvil, *smartphone* o similar, lo ideal es hacer uso de los programas que se nos aporta con dicho dispositivo ya que de esta manera optimizaremos el acceso al mismo.

Para trabajar con esta alternativa accederemos al programa de correo, llamado con el nombre de **correo**, y que podremos encontrar en el lugar donde se ubican todas las aplicaciones.

La primera vez que lo abramos, y al igual que pasó con el programa de correo POP, tendremos que configurarlo para que vea los correos de una cuenta de correo electrónico determinada, la nuestra.

Los ajustes son muy sencillos. Si queremos vincular alguno de los correos anteriormente planteados (Google Gmail, Hotmail o Yahoo) bastará con añadir en la primera pantalla el correo electrónico completo y la contraseña del mismo. El resto de la configuración será llevada a cabo de manera automática por el propio programa.

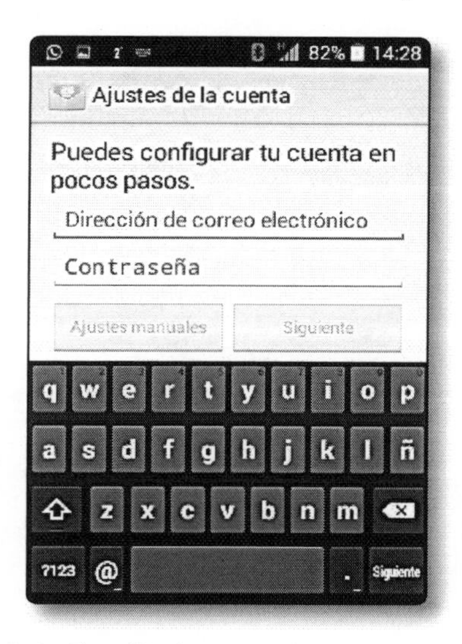

Figura 5.21. Petición de la dirección de correo electrónico y la contraseña de acceso

Este programa lo que hará es preguntar cada cierto tiempo al servidor de correo si hay algo nuevo. De ser así se descargará la información para que la podamos ver directamente en nuestro dispositivo móvil o *smartphone*. Por tanto, y antes de terminar el proceso de configuración, podremos personalizar algunas características.

- **Comprobación de la existencia de nuevos correos en nuestra cuenta**:

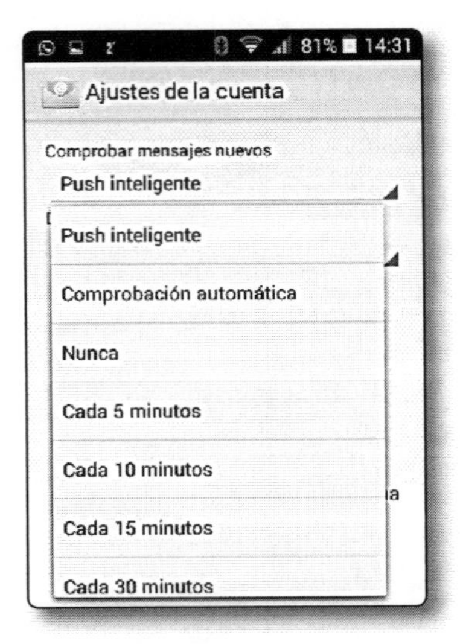

Figura 5.22. Cuándo comprobar los mensajes nuevos

- **Desde cuándo sincronizar**: al ser una configuración nueva tendremos que indicarle al programa si queremos tener acceso a todos los correos antiguos, o solo a los que recibamos a partir de ahora.

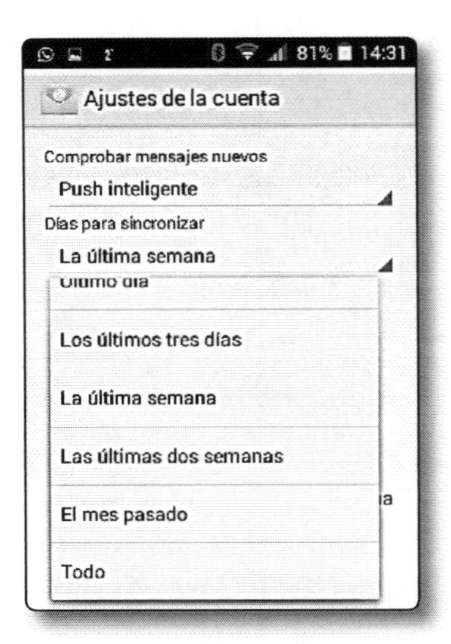

Figura 5.23. Desde cuándo sincronizar

- **Otras opciones de sincronización**: como hemos visto, e iremos viendo en posteriores capítulos, crear una cuenta de correo nos abre posibilidades a una amplia oferta de aplicaciones web. Por ello, también podremos sincronizar el calendario o usuarios de nuestra agenda.

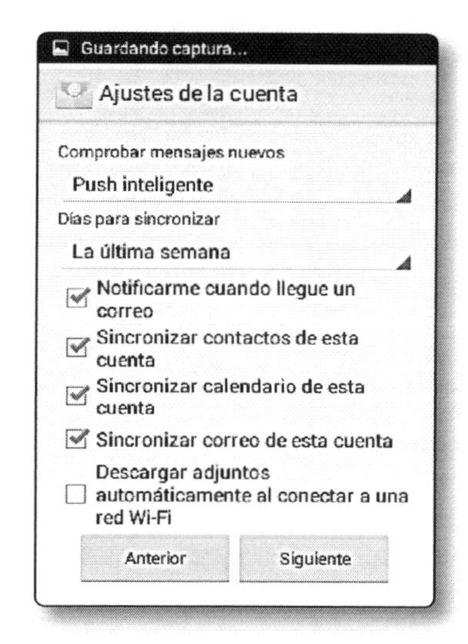

Figura 5.24. Otras opciones de sincronización

En todos los casos durante la configuración de nuestro programa gestor de correo, según terminemos de personalizar y rellenar los datos solicitados pulsaremos el botón que aparece en la parte inferior, **Siguiente**.

Una vez terminado, la próxima vez que se entre se abrirá el programa con nuestros correos nuevos.

NOTA

El programa aquí descrito es el que viene preinstalado en todos nuestros dispositivos móviles. No obstante, cada empresa pone a disposición de sus clientes un programa específico. Este programa lo podemos buscar en **Google Play**. Bastará con buscar por el nombre del correo (Google Gmail, Microsoft Hotmail, Yahoo).

5.2.2.1 MANDAR CORREO NUEVO

Para mandar un correo nuevo, pulsaremos sobre la línea vertical de puntos, situada en la parte superior derecha. Este botón nos mostrará las opciones del programa. Como vemos, entre otras tenemos la de **Redactar**.

NOTA
Ajustes de sincronización accederá a lo detallado en la introducción de este punto. **Actualizar** buscará nuevos correos en nuestra cuenta.

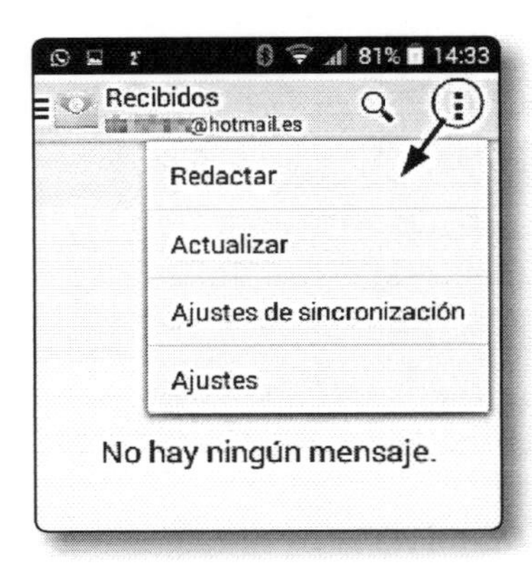

Figura 5.25. Opciones del programa de correo de Android

Tras pulsar dicha opción se nos mostrará la nueva ventana en la que añadiremos los datos tal y como se ha visto anteriormente.

Figura 5.26. Ventana del nuevo correo de Android

5.2.2.2 VER CARPETAS

Si pulsamos sobre **Recibidos**, en la parte izquierda se nos presentarán las diferentes carpetas a las que tenemos acceso. Pulsando sobre una de ellas, se nos mostrará el contenido. Para volver a otra procederemos de similar manera.

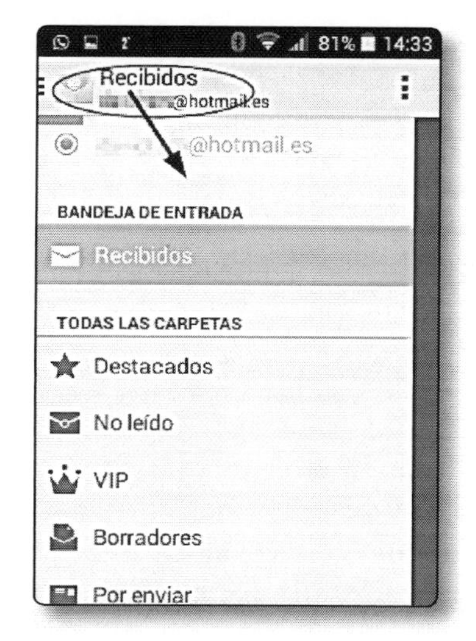

Figura 5.27. Carpetas del programa de correo de Android

5.3 CORREO WEB VS. CORREO DESCARGADO

Uno de los principales enigmas de algunos usuarios es si utilizar programas de gestión de correo (correo POP) o bien si lo dejamos todo en manos de los correos web. Por lo tanto lo primero que tenemos que ver es una básica descripción:

- **Correo POP**: mediante un programa de gestor de correo residente en la máquina y configurado correctamente, la gestión del correo de la cuenta se realiza de forma local. Es decir, todo lo que nos manden se almacenará en nuestro disco duro (incluidos los virus). Ejemplos de este tipo de programas de gestión de correo son Mozilla Thunderbird o el programa propio de Android.
- **Correo web**: la gestión completa se realiza mediante una página web, necesitando únicamente para su visionado un navegador web. En este caso solo necesitaremos el nombre de usuario y la clave asignada. Ejemplos de correo web son Gmail de Google, Hotmail de Microsoft o Yahoo.

Una cosa tenemos que dejar clara: en ningún caso son incompatibles. Todo dependerá de que la empresa que nos dé el servicio quiera que podamos usar ambos medios o solo uno de ellos. Empresas como Google con su Gmail, Microsoft con Hotmail o Yahoo pueden ser consultadas sin ningún problema mediante ambos medios. Entonces por cuál nos decidimos de forma definitiva es una pregunta difícil a la que se contesta según la funcionalidad de los mismos.

Además de la posibilidad de almacenar los correos en nuestra máquina, el correo POP nos aporta otras ventajas. Podremos incluir:

- Acuses de recibo.
- Prioridades de recepción del mensaje.
- Obtener notificación cada vez que entre un correo nuevo.
- Posibilidad de trabajar con varias cuentas de correo electrónico a la vez.

En conclusión, qué correo utilizar... pues el lector podrá elegir entre unos y otros indistintamente y se aconseja que tenga en cuenta su caso y el espacio del que dispone en su máquina así como la necesidad de visualizar el correo a través de un dispositivo, de varios o con la garantía de pertenencia de dichos mensajes.

Quizás, si el lector busca una respuesta más directa, lo más apropiado en el caso de los ordenadores sería comenzar con un correo web y posteriormente probar Outlook. Mientras que en el caso de los *smartphones*, si disponemos de suficiente espacio, puede ser el uso del programa de correo de Android con la intención de que se nos comunique cada vez que llegue algo nuevo.

5.4 SPAM Y SEGURIDAD

El correo electrónico es uno de los medios más usados para invadir nuestra intimidad mediante el envío masivo de ofertas o **spam**. El lector deberá tener en cuenta por tanto ciertas reglas que parece no se contemplan muy a menudo:

- Cada vez que reenvíes mensajes que tengan que ver con cadenas es aconsejable incluir los destinatarios en **CCO** pues hace que no figuren los correos destinatarios en la cabecera y por tanto así evitamos que la lista de correos a la que enviamos llegue a manos no queridas y que a su vez puedan obtener información de a quién conocemos a través de otros reenvíos posteriores.

- Los mensajes que solicitan su reenvío por causas sociales, en muchos casos son correos fraudulentos que pretenden generar cadenas de envío basura con las que obtener largas listas de direcciones de correo. Se aconseja investigar antes en Internet y **no enviarlos sin más**.
- **Las multinacionales no regalan dinero** por reenvío de mensajes.
- **No mandes ni abras archivos adjuntos** a los correos electrónicos a menos que sean realmente archivos en los que podamos confiar.
- **Jamás respondas** si no conoces el remitente de un correo electrónico. Es más, deberías borrar el mensaje sin abrirlo.
- Si utilizas un gestor de correo y tu elección es descargarlo a tu máquina, asegúrate de **no tener activa la opción de visualizar el correo como html** pues el código oculto podría ser peligroso. Ponlo en modo de texto plano.
- **Los milagros** por Internet **no existen** así que olvídate de tener suerte en la vida por reenviar a tus diez mejores amigos el correo que acabas de leer.
- Por supuesto olvídense de dar cualquier dato que les sea solicitado por correo electrónico sin una comprobación telefónica. Es decir, **los bancos nunca le solicitarán ningún dato por correo electrónico**. Ellos ya tienen todos los datos que les puedan interesar de usted e incluso más.
- **Tener activo el antivirus** a modo de primera barrera de protección. Esto no nos garantizará total protección, pero como decimos pondrá una primera barrera frente a virus conocidos.

En todos los casos anteriores, por tanto, se aconseja fervientemente que si se duda de un mensaje se borre e insistimos en no aportar información privada a nadie en quien no se confíe por este medio.

RESUMEN

- Correo web: es cuando vemos el correo electrónico a través del navegador web.
- Correo POP: cuando vemos el correo electrónico a través de un programa diferente del navegador web, llamado gestor de correo.
- Cadenas de correo: correos que comienzan con un destinatario o varios y estos hacen que se vuelva vírico mandándolo a su vez a múltiples destinatarios y estos a otros.
- Servidor de correo: ordenador, ubicado en Internet, donde se alojan todos nuestros correos.

6

MENSAJERÍA INSTANTÁNEA

Si tuviéramos que elegir una herramienta como herramienta o programa para comunicarnos con los amigos o clientes, sin duda a día de hoy elegiríamos **WhatsApp** o cualquiera de las alternativas relacionadas con la mensajería actual.

¿Por qué esta decisión tan clara? Pues porque cuando nos planteamos una elección de este tipo, lo primero que tenemos que hacer es identificar el dispositivo con el que vamos a trabajar. Y quién puede dudar de que el dispositivo por excelencia con el que hoy trabajamos y que llevamos encima un alto número de horas diarias es el teléfono móvil o *smartphone*.

De esta manera, si no tenemos duda con el dispositivo a usar, tampoco tendremos duda con el tipo de programa. En un *smartphone* podemos instalar multitud de programas destinados a multitud de finalidades, pero si lo que queremos es estar conectados en tiempo real con personas que forman parte de nuestra agenda, tendremos que buscar un programa de mensajería instantánea. Si miramos el listado de programas que Play Store nos ofrece, veremos que entre los más descargados y usados están los que en este tema vamos a describir.

6.1 WHATSAPP

Este es el primer punto de este tema y no por casualidad. Si tenemos que elegir un sistema de comunicación entre dispositivos móviles como son los actuales *smartphones*, sin duda elegiríamos WhatsApp por el gran número de usuarios asociados. Si queremos encontrar a alguien, por tanto, lo más fácil es que lo encontremos por aquí.

Como perjuicio tenemos que solo será gratuito en el primer año desde la instalación, aunque este será un perjuicio relativo pues para los siguientes años pagaremos 0,89 € por año. Una cantidad que no supone gran cosa para nosotros, pero que si lo multiplicamos por el número de usuarios, se obtiene un gran beneficio para la empresa.

A cambio WhatsApp nos garantiza que no pondrán publicidad y centrarán su servicio en la comunicación entre clientes o usuarios. A diferencia de otras alternativas como Line.

6.1.1 Instalación

El proceso de instalación es el mismo que realizamos para instalar cualquier programa en nuestro *smartphone* con sistema operativo Android. Lo instalaremos desde Play Store.

Las aclaraciones vienen en el proceso de configuración que se llevará a cabo durante el proceso de instalación:

1. Localizaremos la aplicación en **Play Store**.

2. Configuraremos nuestra cuenta introduciendo el número de teléfono y un nombre.

3. WhatsApp se encargará de enviarnos un mensaje, que en algunos casos puede tener coste, con la intención de asegurarse de que el teléfono donde lo estás instalando coincide con el número de teléfono dado.

4. Si todo es correcto, ya tendremos instalado WhatsApp para usarlo cuando queramos.

6.1.2 Localizar contactos

Una vez instalado toca avisar a nuestros contactos de que ya estamos disponibles. Antes de nada tendremos que conocer la aplicación. Cuando abrimos WhatsApp se nos muestra lo siguiente:

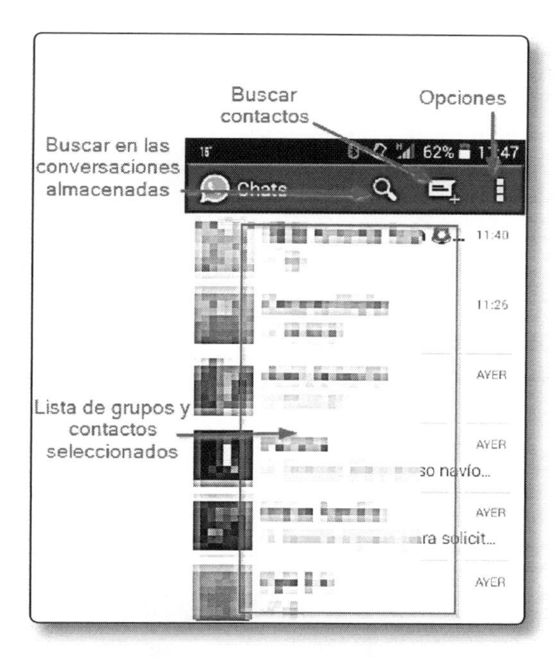

Figura 6.1. Estructura de WhatsApp

Para establecer contacto con personas que tengamos añadidas a nuestra agenda telefónica tendremos que pulsar sobre **Buscar contactos**. De esta manera se nos presentarán todos aquellos contactos que tengamos en nuestra agenda del teléfono móvil y que además tengan instalado WhatsApp.

Solo tendremos que pulsar sobre el contacto para poder comenzar una conversación.

De esta misma manera, una vez tengamos seleccionado a un contacto, este aparecerá en la pantalla principal con la intención de que podamos mantener nuevas conversaciones. Solo tendremos que pulsar sobre su enlace en la pantalla principal.

Cuando hemos establecido contacto, observaremos que se pueden añadir elementos a la conversación, tales como:

- Imágenes o vídeos desde la **Galería** de nuestro teléfono.
- **Fotografías** realizadas en el momento con la cámara del dispositivo móvil. En este caso lo podremos hacer desde el menú superior o desde el inferior.

- **Vídeos** realizados en el momento con la cámara del dispositivo móvil. Solo desde el menú superior.
- **Audios** grabados en el momento. En este caso lo podremos hacer desde el menú superior o desde el inferior.
- Mostrar la **ubicación** donde nos encontramos en el momento.
- Enviar los datos de un **contacto** que tengamos en la agenda del teléfono.

Por supuesto a todo esto tendremos que añadir el texto de la conversación y la posibilidad de añadir emoticonos, que son caritas o pequeños dibujos que podrán ilustrar nuestro estado de ánimo.

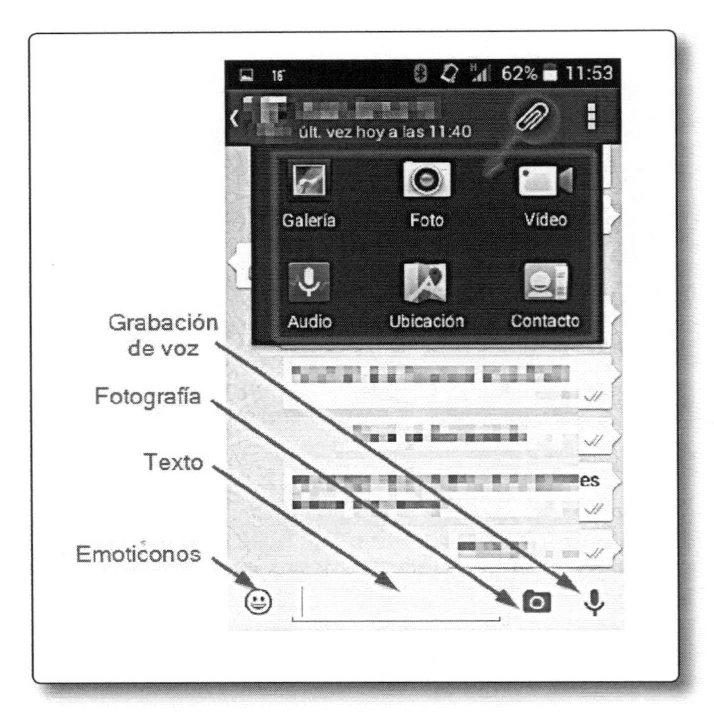

Figura 6.2. Opciones de inclusión

6.1.3 Información extra en las conversaciones

Como se puede ver en la imagen anterior, al lado de los globos de conversación aparecen dos aspas (√). Estas aspas además pueden aparecer grises o azules. Su significado es el siguiente:

- Si aparece **un solo aspa** quiere decir que el mensaje ha salido correctamente desde nuestro teléfono, pero que aún no lo ha recibido el destinatario.
- Si aparecen **dos aspas** quiere decir que el destinatario lo ha recibido.
- Si además estas dos aspas se vuelven **azules**, quiere decir que el usuario lo ha leído.

6.1.4 Quitar notificación de lectura

En muchas ocasiones puede ser que no nos interese que nuestros contactos sepan cuándo hemos leído el texto o información enviada. Para desactivar este tipo de notificación acudiremos a **Opciones** > **Ajustes** de la pantalla principal y elegiremos la opción **Privacidad**. Tendremos que bajar hasta la opción que nos interesa y la desmarcaremos.

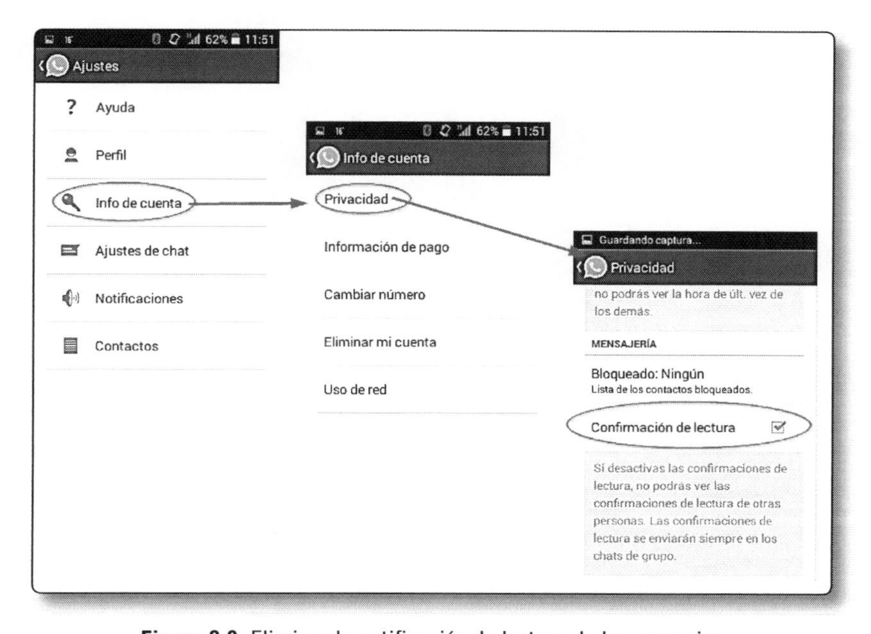

Figura 6.3. Eliminar la notificación de lectura de los mensajes

NOTA
Si lo desactivamos, tampoco sabremos cuándo leen nuestros mensajes nuestros contactos.

6.1.5 Crear grupos

Hay veces en que nos interesa mantener una conversación grupal. Para estas ocasiones podremos crear un grupo de contactos. La creación la llevaremos a cabo desde el apartado de **Opciones**. Entre ellas podemos observar una con el nombre **Crear grupo**, que es la que pulsaremos.

Figura 6.4. Opciones de WhatsApp

A continuación tendremos que añadir **nombre del grupo**, **contactos del grupo** y finalmente crearlo.

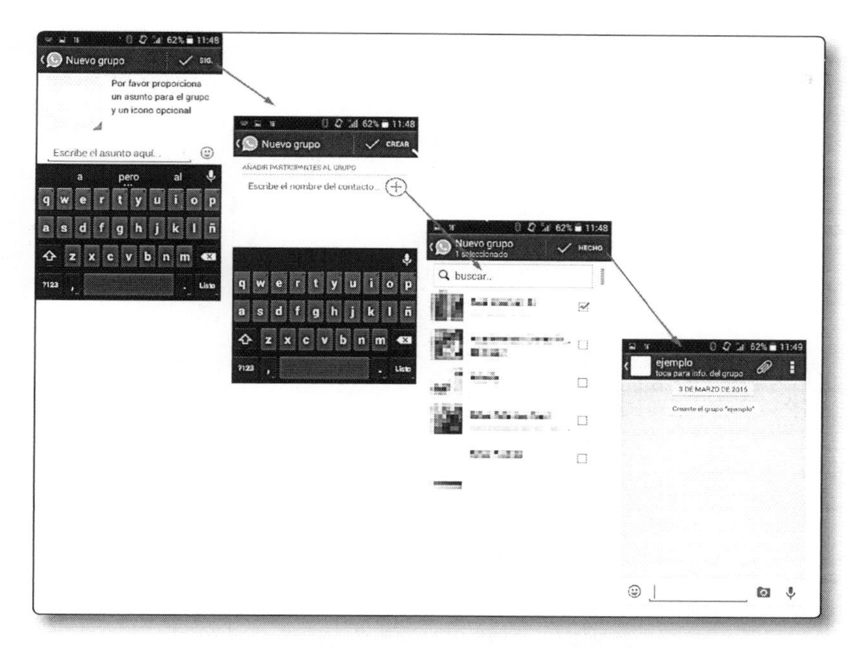

Figura 6.5. Proceso de creación de un grupo en WhatsApp

A partir de este momento, todo lo que escribamos en este grupo lo recibirán todos los miembros del mismo.

Si queremos personalizarlo más aun, podremos ponerle una imagen que lo describa mejor. En la última imagen del proceso anterior, pulsaremos sobre el nombre del grupo. De esta manera se nos mostrará la información del mismo.

Figura 6.6. Información de un grupo en WhatsApp

Como se puede ver, se nos muestran los contactos del grupo, y en la parte superior un lápiz donde podemos editar el nombre y la imagen del mismo.

Si queremos salir del grupo, pulsaremos en el botón inferior. Si además somos los que hemos creado dicho grupo, tras pulsar se nos dará la opción de volver a pulsar para eliminarlo.

6.1.6 Silenciar grupos

Cuando llevemos tiempo usando WhatsApp, será habitual que tengamos multitud de grupos y contactos. En este momento puede ser interesante silenciar las notificaciones de alguno de ellos. Por ejemplo, el grupo de los noctámbulos que no nos dejan dormir.

Esto lo podemos hacer dentro del grupo, pulsando **Opciones**. Como vemos se nos despliegan varias, entre ellas la opción **Silenciar**.

NOTA
Es importante que le volvamos a dar voz al despertarnos, o no nos enteraremos de las nuevas notificaciones.

Figura 6.7. Opciones de un grupo en WhatsApp

6.1.7 Pagar la renovación

Como hemos dicho en la introducción de WhatsApp, este solo es gratuito el primer año. A partir de ese momento tendremos que pagar una cantidad "simbólica". Aunque seremos avisados previamente, para realizar este proceso acudiremos a **Ajustes**, desde las **Opciones** de la ventana principal.

Desde aquí seguiremos el siguiente camino:

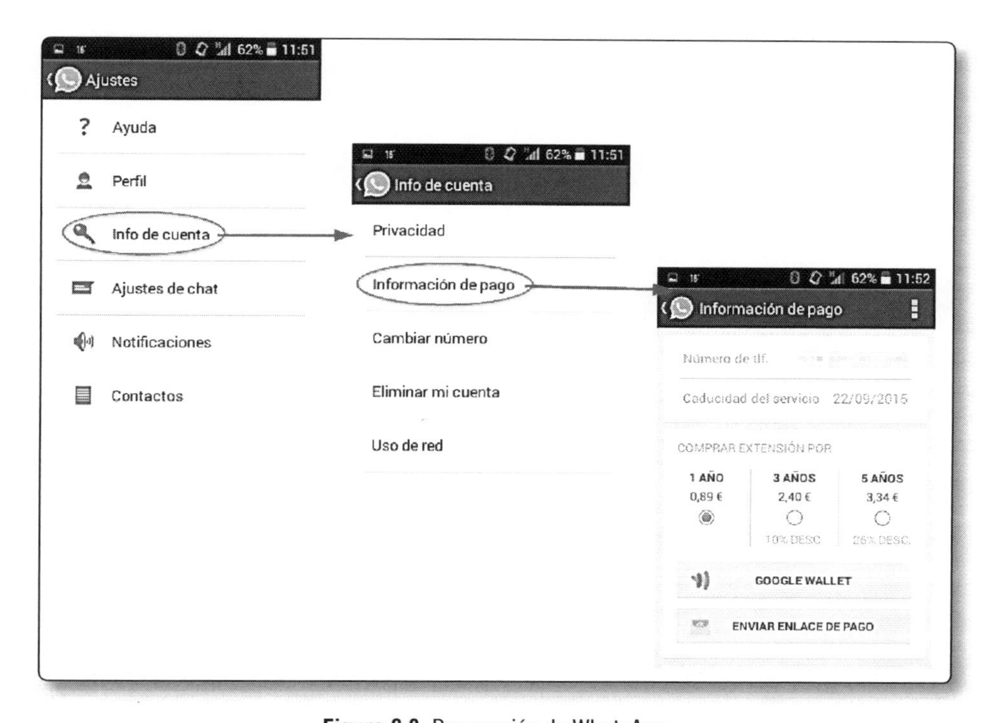

Figura 6.8. Renovación de WhatsApp

Llegados al último punto tendremos que elegir entre renovación por 1, 3 o 5 años más y el modo de pago. Los modos de pago son:

- **Google Wallet**: será Google quien medie en el pago. Para ello tendremos que elegir el método de pago que Google usará. Siendo estos **PayPal**, **Con cargo a la línea** o **Con tarjeta de crédito**.
- **Enviar un enlace de pago**: es igual al anterior, solo que en este caso el pago se podrá hacer desde otro dispositivo móvil u ordenador.

RETO
Instale WhatsApp y cree un grupo familiar al que mandarle un mensaje de bienvenida.

6.1.8 Última hora. Llamadas

Mientras se estaba redactando esta obra, WhatsApp decidió activar un nuevo servicio asociado. Se trata de las llamadas a través de este programa de mensajería. Estas llamadas se realizarán a través de Internet, y no de la línea telefónica convencional.

Para realizar llamadas a otros contactos, lo único que tendremos que hacer es pulsar sobre el contacto a llamar y en la barra superior veremos que aparece un icono no mencionado en ningún apartado de este punto. Es un icono nuevo con forma de teléfono. Pulsando sobre él se activará la llamada haciendo uso de nuestra tarifa de datos.

Figura 6.9. Opción de llamadas en WhatsApp

NOTA
Cuidado al realizar este tipo de llamadas, ya que la tarifa de datos está limitada a una cantidad concreta. Por tanto en caso de tener tarifa plana de llamadas se recomienda seguir llamando por la línea normal y no por aquí. En el caso de no tener incluidas las llamadas en nuestro contrato y solo disponer de Internet, este sería un buen ejemplo para ahorrar algún dinero.

6.2 LINE

Tras el éxito de WhatsApp, otras empresas decidieron crear sus propuestas tomando como partida dicha aplicación. La web del proyecto la encontramos en *http://line.me/*.

En el caso de Line, la idea es muy similar aunque con 2 cambios principales:

- **Siempre será gratis**. A diferencia de WhatsApp, esta aplicación siempre será gratuita debido a que los ingresos que obtiene se llevan a cabo desde otras fuentes, tales como venta de **stickers** (como emoticonos de WhatsApp personalizados por las empresas que los ofertan).
- Ofrece **servicios paralelos** integrados en Line. Estos servicios son por ejemplo juegos. Idea similar a los juegos ofertados desde la red social Facebook.

Por lo demás el manejo es similar, si nos centramos en lo básico, siendo esto la inclusión de amigos en nuestra lista de contactos o el modo en que se establecen las comunicaciones.

Además Line, al igual que pasa con Hangouts, es perfectamente funcional desde diferentes plataformas como ordenadores personales, no siendo exclusivo del modelo de comunicación vía *smartphone*.

Figura 6.10. Posibilidades que Line nos ofrece, mostradas en su web line.me

6.3 HANGOUTS

La empresa Google en este caso también nos ofrece una alternativa a la mensajería ofrecida por WhatsApp. En este caso viene de la mano de Hangouts. Su fuerza radica en la presencia de Hangouts en todas sus aplicaciones y sistemas operativos. Por lo tanto, podremos hacer uso de ella desde Google+, Google Gmail, o desde un *smartphone* con el sistema operativo Android instalado. En todos los casos no será necesario que lo instalemos, ya que vendrá preinstalado y listo para su uso.

El único requisito imprescindible es, por tanto, tener una cuenta de Google. Esta cuenta, como hemos visto en capítulos anteriores, se obtiene al registrar nuestro correo electrónico Gmail, o nuestra presencia en Google+.

El uso de Hangouts no tiene nada nuevo que explicar, ya que se resume en un listado de contactos a los que podremos realizar llamadas o mandar mensajes, lo mismo que pasa con los anteriormente vistos.

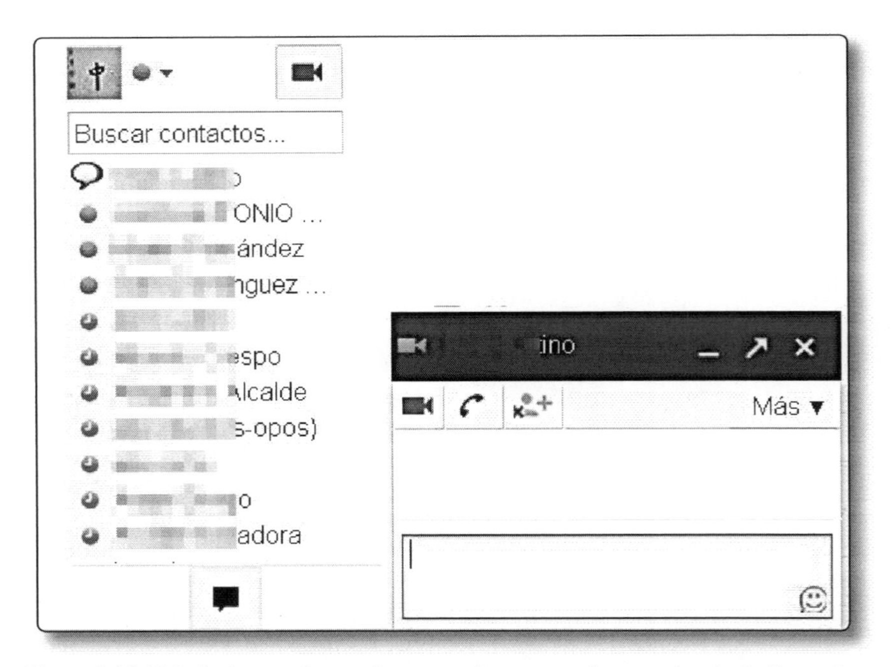

Figura 6.11. Listado de usuarios con los que podemos conectarnos a través de Hangouts, y una conexión con un usuario concreto

6.4 SKYPE

Skype es un programa que nos da la alternativa de hacer llamadas a través de nuestra conexión de Internet en lugar de a través de la línea telefónica. La mayor ventaja es si lo que queremos es realizar llamadas internacionales. Bastará con que el usuario al que llamemos tenga también instalado Skype para que esta llamada sea gratis.

NOTA

Para usar correctamente este medio de comunicación deberemos tener correctamente instalados unos auriculares/altavoces y un micrófono.

6.4.1 Descarga, instalación y registro

Skype, en la actualidad, pertenece a Microsoft. De esta manera bastará con tener una cuenta de Microsoft Hotmail para poder usarlo.

Figura 6.12. Web de Skype

Como siempre para acceder a este software, iremos a la página oficial *http://www.skype.com*, y pulsaremos sobre **Descargar Skype**. La instalación del programa no tiene misterios, bastará con darle a **Siguiente**.

NOTA
Cuidado, en una de las pantallas de la instalación nos preguntará si queremos que el buscador predeterminado de los navegadores web sea Bing. Dejar la opción por defecto hará que el navegador que abramos busque desde esta página.

Tras la instalación se nos presentará el programa con la página de acceso a Skype. Nos solicitará los datos de una cuenta de Hotmail. Si no tenemos la podremos crear desde aquí. De haberla creado bastará con que aportemos el nombre de la cuenta y la contraseña pulsando **Cuenta de Microsoft**.

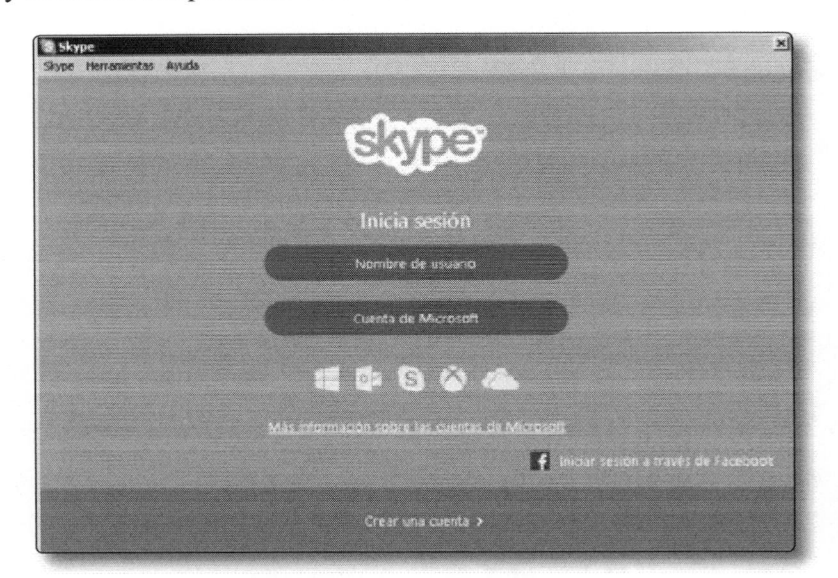

Figura 6.13. Pantalla de acceso

NOTA
También podemos acceder con la cuenta de Facebook.

La primera vez que accedamos nos dará la opción de enviarnos un código de recuperación para el caso en que se nos olvide la contraseña. Este envío podrá ser a otra cuenta de correo electrónico. El número que recibamos será el utilizado para activar la cuenta inicial.

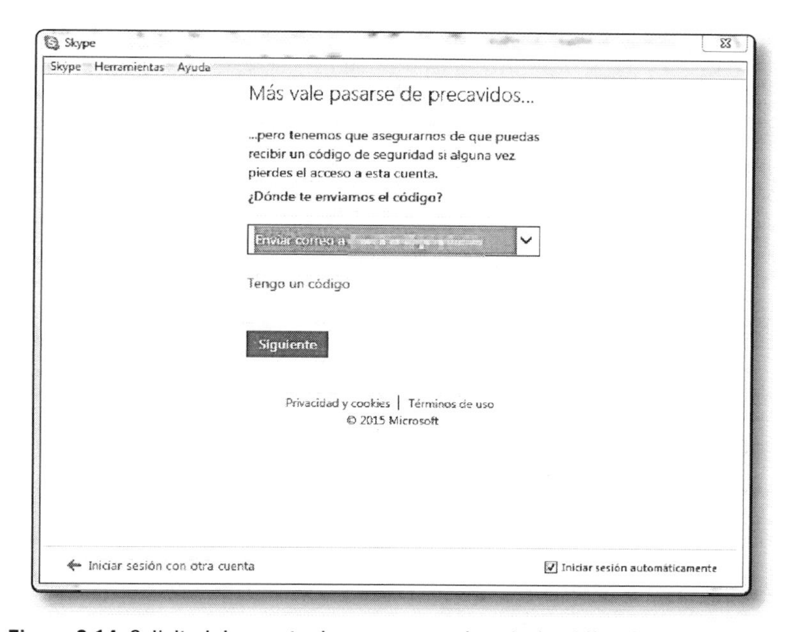

Figura 6.14. Solicitud de cuenta de correo para el envío de código de recuperación

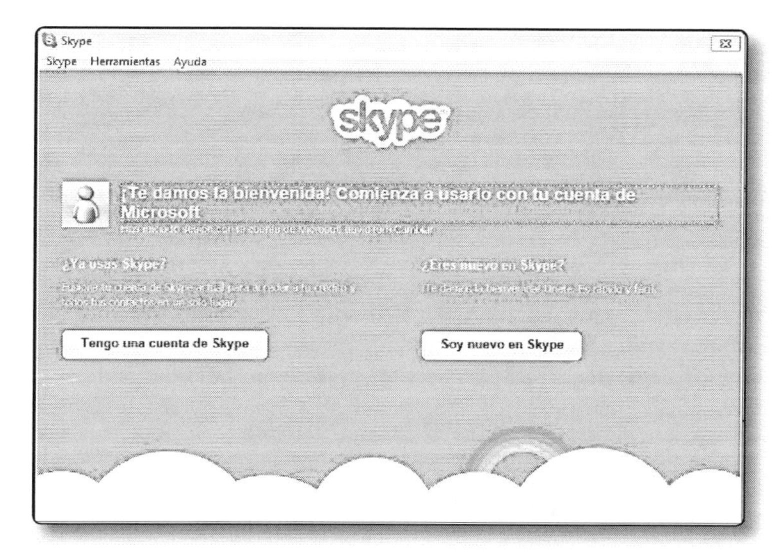

Figura 6.15. Creación de cuenta de Skype asociada al correo electrónico

Tras instalar ese código se nos preguntará si ya hemos usado Skype con esta cuenta de correo electrónico previamente. Pulsaremos sobre **Soy nuevo en Skype**.

Solo nos quedará pulsar en la pantalla siguiente la opción **Acepto. Unirme a Skype**.

A partir de este momento ya lo tendremos instalado y listo para el uso.

NOTA
En las preguntas restantes pulsaremos **Continuar**.

6.4.1 Localizar destinatarios

¡Vale!, ya tenemos registrado e instalado nuestro software de comunicación, lo que nos queda es saber utilizarlo. Es muy fácil y muy corto de explicar.

Para localizar a los usuarios con cuenta en Skype, usaremos las opciones que nos aparecen en la pantalla principal. Bastará con añadir el nombre de la persona a buscar y pulsar sobre el botón que nos aparecerá debajo, **Buscar**.

Figura 6.16. Encontrar gente con cuenta en Skype

En el listado que se nos muestra localizaremos a la persona deseada y pulsaremos sobre ella. Posteriormente en la parte principal que se ve en Skype pulsaremos sobre **Añadir a contactos** y **Enviar**.

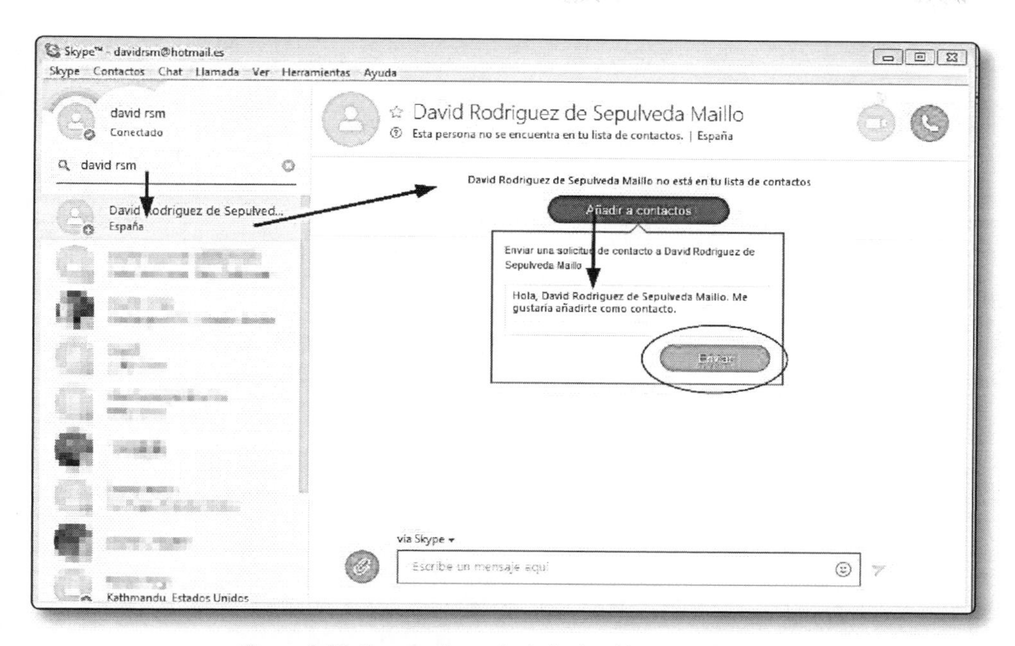

Figura 6.17. Proceso de envío de invitación a un usuario

Solo queda que el usuario confirme la comunicación. A partir de ese momento podremos ver cuándo está conectado en nuestra lista de contactos.

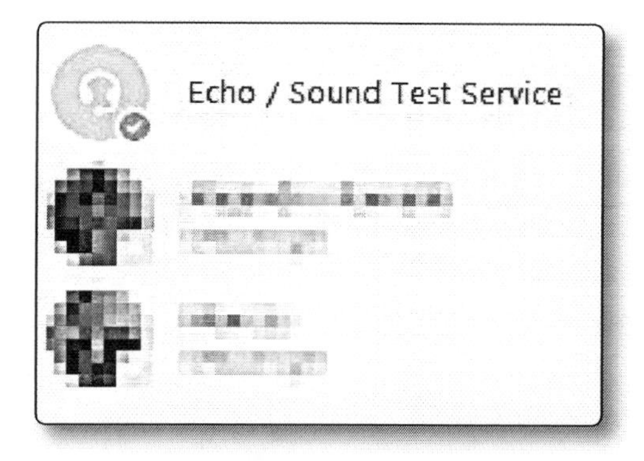

Figura 6.18. Contactos de Skype

NOTA

Los iconos rellenos de verde indican que el usuario está conectado mientras que los rellenos de blanco indican ausencia.

6.4.2 Llamadas a usuarios de nuestra lista

La ventana de conexión con los usuarios que conocemos nos permitirá conectarnos con ellos en modo texto, voz o vídeo. Para ello bastará con pulsar sobre el icono del tipo de llamada deseada. Como puede ver, también se pueden realizar videollamadas.

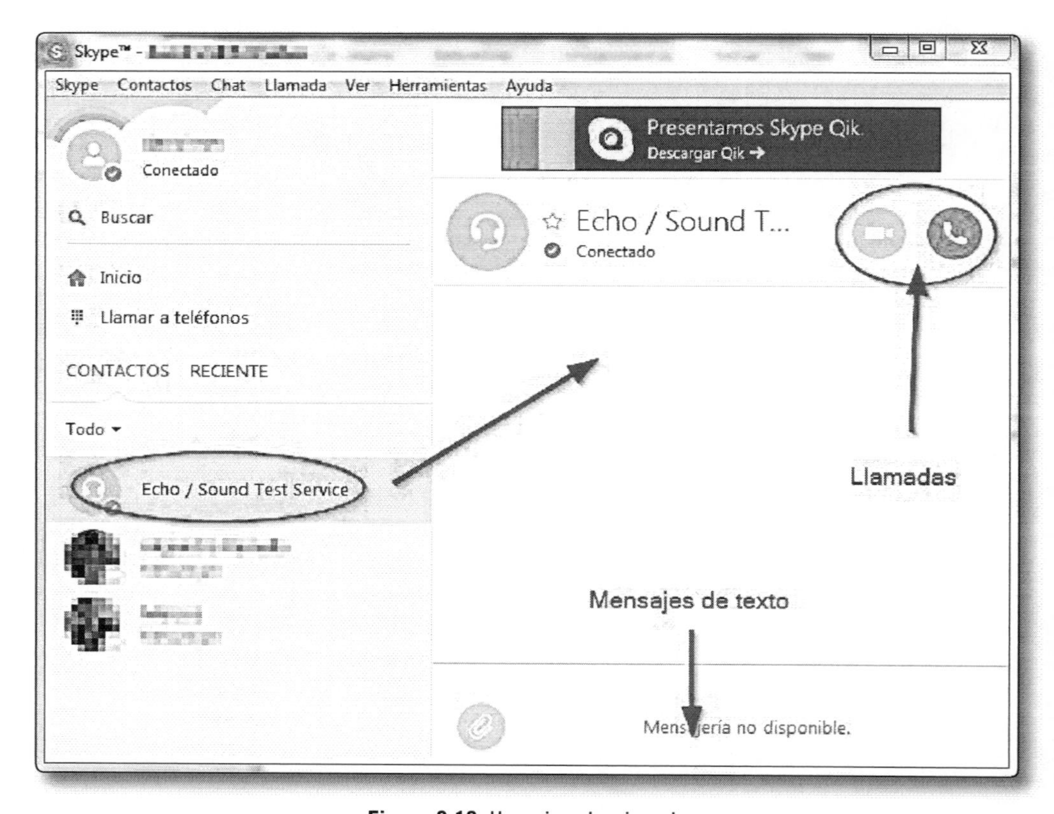

Figura 6.19. Usuario seleccionado

6.4.3 Llamadas a teléfonos fijos o móviles

La ventana de llamada a números ordinarios solo nos permitirá llamar a números fijos o móviles y por tanto se nos solicitará un sistema de cobro como PayPal (*http://www.paypal.es/*).

En la pantalla principal seleccionaremos la opción de **Llamar a teléfonos**.

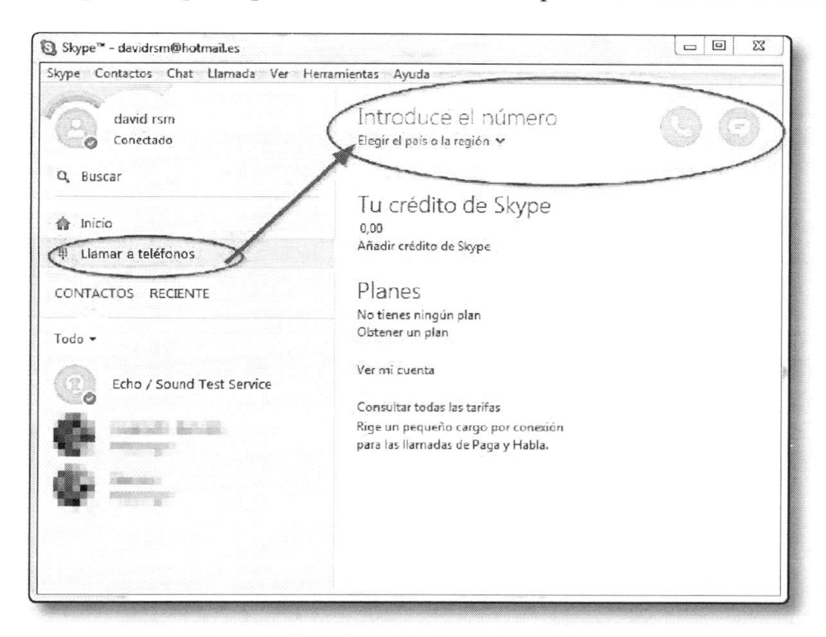

Figura 6.20. Solicitud de llamada a teléfonos

Seleccionado dicho apartado, solo queda marcar el número en la parte superior y darle a llamar o mandar un SMS.

6.5 COMUNICACIÓN UTILIZANDO MOZILLA FIREFOX

Durante la redacción de esta obra Mozilla Firefox, el navegador expuesto en puntos anteriores, sufrió una pequeña ampliación en los servicios que aporta. En su última versión Mozilla Firefox nos aporta la posibilidad de comunicarnos con otros usuarios gracias a una ampliación integrada y sin necesidad de registrar usuarios.

Para poder llevar a cabo una comunicación con esta herramienta del navegador pulsaremos sobre el icono que se nos mostrará en la parte superior con forma de carita sonriente.

Si es la primera vez que utilizamos esta herramienta pulsaremos sobre **Comenzar** y posteriormente volveremos a pulsar sobre la **cara sonriente**.

Figura 6.21. Comenzar con las conversaciones de Mozilla Firefox

Una vez comenzado el proceso y pulsando otra vez sobre la carita sonriente, veremos que se nos da la posibilidad de **iniciar una conversación**. Esta conversación se unirá a la lista de conversaciones creadas y tendrá una dirección web específica.

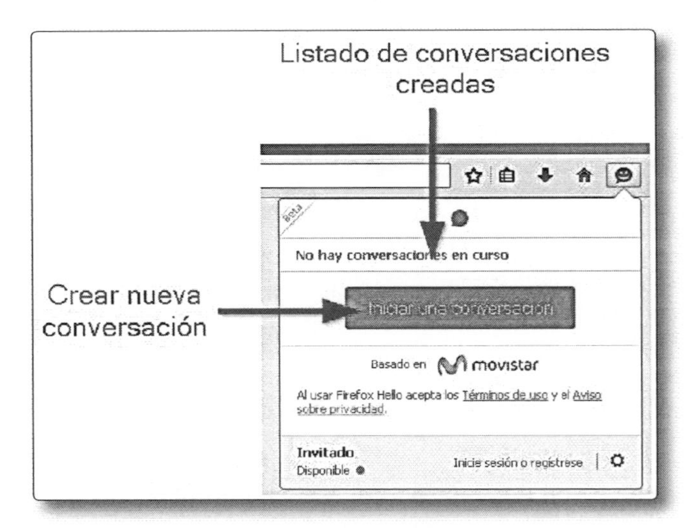

Figura 6.22. Inicio de conversaciones y listado de las ya creadas

Bien, pulsaremos sobre **Iniciar una conversación** y veremos que esta conversación es añadida a la lista de conversaciones creadas. Solo quedará pulsar copiar la dirección de la conversación asignada y hacerle llegar dicha dirección a los usuarios con los que queramos conversar.

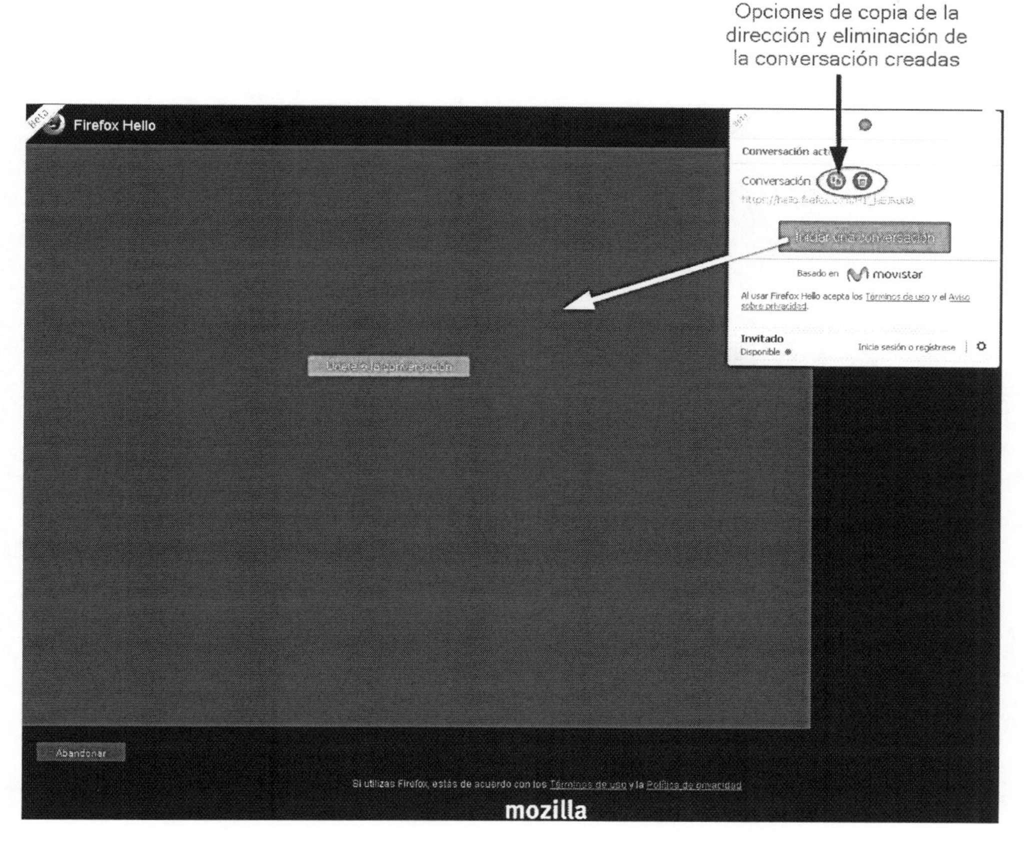

Figura 6.23. Opciones de creación de las conversaciones y la conversación preparada

Una vez creada la conversación y accedida a la dirección indicada, solo nos queda unirnos a ella. Pulsaremos **Únete a la conversación** de la página web abierta. Y este proceso de unión lo tendrán que realizar cada uno de los usuarios a los que les hemos hecho llegar el enlace web.

En el momento que estos se unan podremos comenzar el proceso comunicativo. Como último punto Mozilla Firefox nos pedirá consentimiento de acceso a nuestros dispositivos de comunicación tales como son el micrófono o la cámara web.

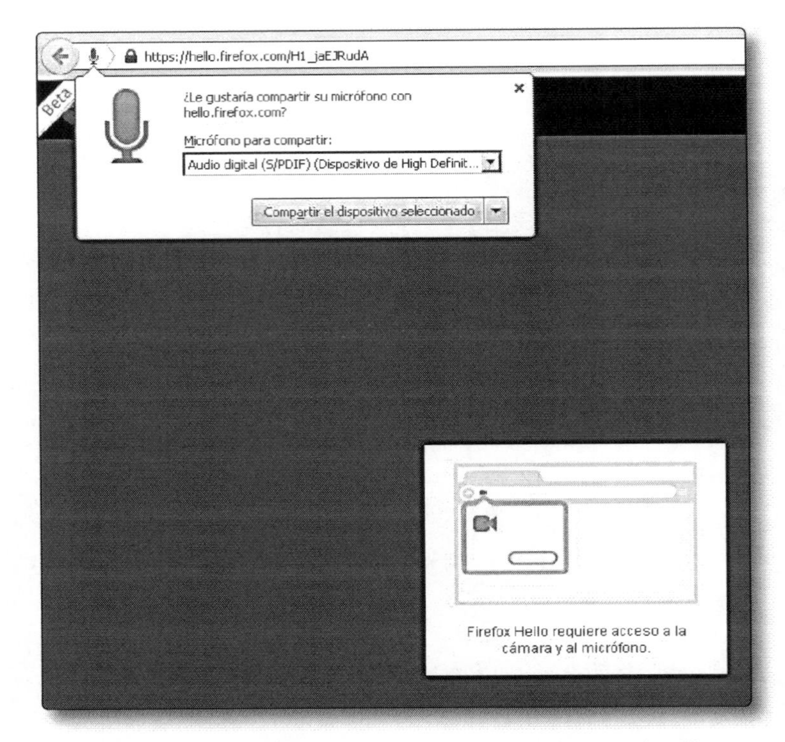

Figura 6.24. Petición de acceso a los dispositivos de comunicación

Ya solo nos queda comunicarnos y pulsar el botón **Abandonar** en la parte inferior cuando queramos cancelar la conversación.

NOTA

Tiene una restricción principal, y es que en el momento actual de desarrollo en que se encuentra solo se pueden realizar comunicaciones entre 2 usuarios. Por lo tanto, a diferencia de Skype no podemos realizar multiconferencias.

RESUMEN

- Paypal: plataforma de prepago. Es una empresa que hace de intermediaria frente al pago en Internet.
- Videoconferencia: comunicación mediante vídeo. Nosotros veremos la imagen del otro interlocutor, y él la nuestra. Para ello se necesitará disponer de cámara web.

7

COMPRAS EN INTERNET

La primera premisa a tener en cuenta en el caso del comercio electrónico (las compras en Internet se realizan a través de este medio), es que **todo es tan seguro como lo seas tú**. Es decir, ¿es seguro tu ordenador? Si tu respuesta es un sí rotundo, cuidado porque te estás equivocando. Pensemos en un cajero electrónico, ¿es seguro sacar dinero de este cajero electrónico sin mirar a los lados, en una calle oscura con gente siendo atracada justo a su lado? Pues de esta forma piense que Internet podría ser esa calle.

Otra pregunta, ¿sacaría dinero en un cajero electrónico que no aportara ninguna garantía de pertenecer a ningún banco? Pues ese mismo interés en informarse de la autenticidad de dicho cajero es el que tenemos que mostrar como primer paso si decidimos adentrarnos en este nuevo sistema de comercio.

En conclusión a esta introducción al comercio electrónico, las compras por Internet y la banca electrónica, solo queda decirle al lector que ni todo es fraude en Internet, ni por supuesto todo son buenas intenciones. Si el lector se toma en serio, pero sin miedo, esta nueva alternativa de adquisición de productos verá que es una realidad fácil de manejar que nos acerca a nuevas posibilidades y en la que es bastante fácil moverse de forma segura. Eso sí, no deberá moverse por este medio sin tomar algunas precauciones mínimas.

7.1 ¿CUÁL ES EL FUNCIONAMIENTO DEL COMERCIO ELECTRÓNICO?

El funcionamiento de una plataforma de comercio electrónico se basa en el siguiente esquema gráfico detallado y explicado a continuación:

Ilustración 7.1. El comercio electrónico es similar al comercio ordinario

- El usuario que entra en una tienda virtual podrá hacerlo las **24 horas al día**, ya que Internet nunca cierra.

- Una vez accedido a la tienda virtual deseada se nos presentarán los productos que podremos comprar. Los productos que seleccionemos se añaden a la **cesta de la compra** como si de un supermercado se tratase, o bien se eliminan de ella si hemos cambiado de opinión.

- El trámite final y más importante se inicia cuando el usuario pulsa el botón de compra. En este momento y con los productos seleccionados dentro de la cesta de la compra se confecciona la factura automáticamente y se accede a un **servidor de seguridad** que recibe el número de la tarjeta de crédito del comprador y los datos de este. Finalmente si todo es correcto se realiza la compra mediante el sistema SSL.

NOTA
Secure Sockets Layer (SSL) y *Transport Layer Security* (TLS), su sucesor, son protocolos criptográficos que proporcionan comunicaciones seguras por Internet.

- Se nos podrán plantear varias **formas de pago** como son: **Contrareembolso**, **Pago con tarjeta** o **Ingreso en cuenta**. También tenemos la posibilidad de pago mediante **PayPal** o equivalentes. Debido a lo exigido en la Ley Orgánica de Protección de Datos, gran cantidad de tiendas acostumbran a adherirse a mercados virtuales organizados por terceros. Son estos intermediarios los que crean la plataforma tecnológica de seguridad necesaria y establecen la relación con las entidades financieras.

NOTA
PayPal procesa peticiones de pago en comercio electrónico y otros servicios web; en cada proceso PayPal cobra un porcentaje del importe total.

- Estas compras, por tanto, gracias a dichos intermediarios se formalizarán y validarán siempre de forma directa a través de un banco que será el que gestione las órdenes de pago y cobro (este solo en el caso de pago con tarjeta).

7.1.1 Protocolo seguro de transferencia de hipertexto https

Lo primero que tenemos que tener en cuenta en relación al comercio electrónico es que, antes de proceder al pago de la compra, la conexión con el servidor se realice mediante **https** o lo que es lo mismo el protocolo seguro de transferencia de hipertexto. Su propio nombre lo indica, es lo mismo que http (conexión web clásica) pero establece un nivel de seguridad mayor.

Esto es gracias a que los datos irán cifrados desde el origen (nuestro ordenador) hasta el destino (ordenador encargado del cobro) y que solo en ambos puntos se podrá leer de forma correcta la información. Tenga en cuenta el lector que la mayoría de los datos que viajan por Internet lo hacen sin cifrar y por tanto pueden ser leídos y modificados por cualquier internauta malintencionado.

Pues bien, este cifrado al que nos referimos se realiza mediante el uso de un canal SSL (*Secure Socket Layer*); debemos tener cuidado cuando nos conectamos a páginas web mediante https. En cualquier caso nuestro navegador nos advertirá sobre la carga de elementos no seguros (mediante http), si estamos conectados a un entorno seguro (mediante https). Esto quiere decir que debemos estar atentos a las posibles ventanas que muestran estos avisos.

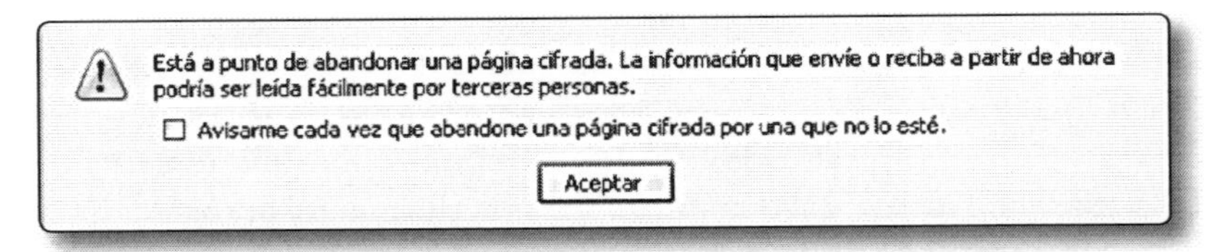

Figura 7.1. Aviso del navegador web Mozilla Firefox que indica que voy a abandonar una web https

Para averiguar si la página web que estamos visitando utiliza el protocolo https lo podemos hacer buscando en la barra de direcciones de nuestro navegador "https" al comienzo de la dirección web, en lugar de "http". Igualmente y de forma más segura, en los navegadores Mozilla Firefox, Internet Explorer o Google Chrome sabremos que estamos visitando una web que usa https si nos aparece en la parte inferior izquierda o junto a su dirección, respectivamente, un candado.

Figura 7.2. Candado que se muestra al acceder a https con Internet Explorer y Mozilla Firefox

7.1.1.1 CERTIFICADOS DE SEGURIDAD

SSL, como hemos visto en el punto anterior, protege el acceso a una página o sitio web en el uso del comercio electrónico; concretamente el uso de certificado nos aporta:

- Un certificado SSL permite el cifrado de información confidencial durante el proceso de compra o gestión comercial.

- Los certificados SSL son independientes unos de otros y se crean en el momento del acceso a la web.

- No todos los certificados son válidos, para que lo sean deberán ser emitidos por una autoridad de certificación que verificará la identidad del propietario del certificado cuando se emite. En caso de no ser una autoridad de certificación válida se nos informará mediante un mensaje.

7.2 FRAUDE

Hoy en día el fraude electrónico es uno de los ataques más comunes que nos encontramos en Internet. Además es posiblemente el tipo de delito que más medios utiliza para conseguir su finalidad, medios como la propia web, el correo electrónico y fuera de Internet llamadas telefónicas, por ejemplo.

No obstante el fraude cibernético jamás buscará acceder a nuestro ordenador de manera compleja sino que simplemente utilizará la suplantación de identidad para llegar a su fin que no es más que la obtención de información restringida como el número de tarjeta de crédito, o el número de identificación privado de dicha tarjeta.

En conclusión, engañan a los usuarios y los estafan a través de Internet. Este tipo de ataque suele ir dirigido a cientos de miles de posibles estafados a la vez en forma de correo electrónico principalmente. En dicho correo electrónico se nos solicita toda o parte de la información antes citada y para que no resulte extraño se suele firmar suplantando a la propia entidad. Es más, existen muchos casos en los que no se duda en generar falsas webs que, utilizando dichos estilos estéticos similares a los de las empresas que suplantan, presentan formularios en los que piden gran número de información no siempre útil pero que hace que se oculte la verdadera finalidad no haciéndola tan obvia.

Si queremos protegernos de estos tipos de ataques, los pasos a seguir para no ser víctima de ellos son:

- En caso de que se nos aporte una determinada dirección web a la que acceder, nos aseguraremos de que la dirección que nos indican es realmente a la que accederemos, para ello basta con poner el cursor del ratón sobre dicha dirección y sin pulsar **clic del ratón** esperaremos a que se nos muestre la dirección real en la parte inferior del navegador o del gestor de correo electrónico.

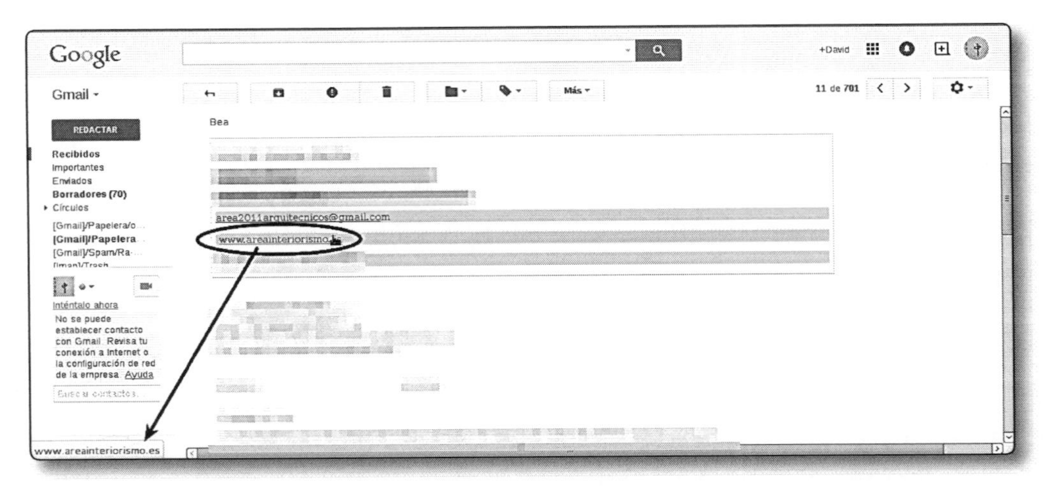

Figura 7.3. Comprobación de la fiabilidad de una dirección web recibida en un correo electrónico

- Tendremos en cuenta las premisas establecidas en el apartado *Spam y seguridad.*

- Si accedemos a Internet a través de un ordenador y conexión de Internet pública nos tendremos que asegurar de que dicho ordenador queda totalmente limpio de nuestros datos tras la desconexión e igualmente de que en ningún caso se nos ha espiado de forma que puedan adquirir los datos personales y generar posteriormente una compra fraudulenta.

7.2.1 Fraude y salud

En estos tiempos uno de los fraudes más llevados a cabo en Internet es el relacionado con la venta de medicamentos sin receta. Estos fraudes se ven acrecentados además con las apariciones de enfermedades que generan miedo en la sociedad, como pasó con la gripe porcina.

En estos casos, lo más probable si accedemos a la adquisición de ellos es que nos encontremos con medicamentos falsos que no sirvan para la función que nos indican y además de dicho fraude, en el peor de lo casos estaremos dándole datos privados a personas malintencionadas de las que desde luego no podremos esperar que hagan buen uso de ellos.

Por lo tanto en el caso de los elementos relacionados con la salud se aconseja que se acuda al médico y sean estos los que diagnostiquen la posible enfermedad y su tratamiento, de esta forma aseguraremos nuestra salud y nuestro bolsillo.

7.3 PREMISAS PRINCIPALES ANTES DE COMPRAR

A modo de resumen concretaremos los diferentes pasos que hay que tener en cuenta para un correcto proceso de compra en el comercio electrónico:

1. Intentaremos conectarnos a tiendas o entidades *on-line* que previamente conozcamos.

2. Una vez accedido a la web interesada nos aseguraremos de estar trabajando en una web https, como mínimo tendremos que asegurar que el acceso https esté activo en el momento de la solicitud de datos personales.

3. Comprobar la validez del certificado que nos aporta. Lo primero que haremos es ver si aparece el candado indicado. De ser afirmativo clicaremos sobre él y se nos abrirá una ventana que nos indicará la información relacionada con el sitio web que solicita el certificado y la autoridad de certificación que la emite.

4. Respecto al certificado, para asegurar que la web es correcta y no nos están intentando dar gato por liebre tendrá que aparecer el nombre de la web (nombre que no suele ser el mismo en los casos de suplantación) y que la autoridad de certificación está entre las conocidas. Dos de las más importantes son **Verisign** y **Thawte**.

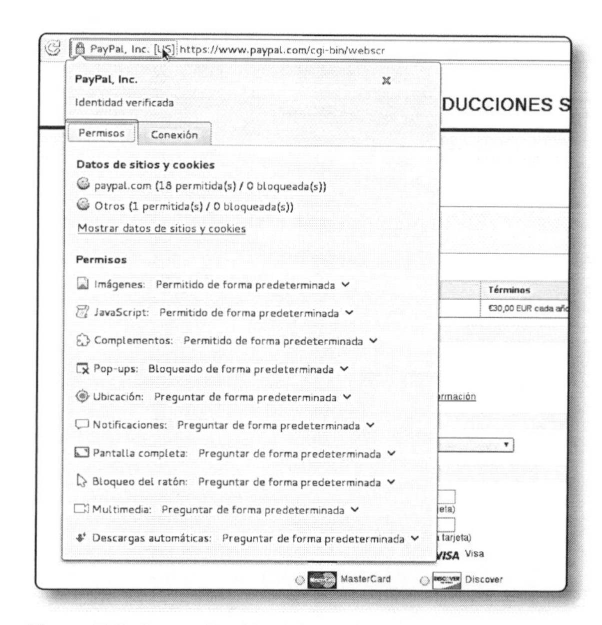

Figura 7.4. Comprobación del certificado de la página web

5. Se aconseja que en caso de igualdad de condiciones se pague siempre contrareembolso, por transferencia, mediante PayPal o similares. No obstante de elegir pagar mediante tarjeta de crédito se aconseja que se asegure previamente de que el pago se realizará a través de una pasarela de pago conocida como TPV. O lo que es lo mismo que los datos bancarios los gestionará alguna entidad bancaria de forma directa. En la imagen que se muestra a continuación se presenta un ejemplo de pasarela de pago, en este caso de "la Caixa".

6. Muchos bancos nos amplían las posibilidades de compra por Internet dándonos la posibilidad de hacerlo con una tarjeta virtual que aumenta la seguridad. Tenga en cuenta que una tarjeta virtual tiene la garantía de tener una cuantía limitada y una caducidad temprana, además los datos que aportaremos serán los de esta nueva tarjeta y por tanto permanecerán en el anonimato los realmente importantes que son los de la tarjeta real. La gestión corre por cuenta de su banco por lo que se aconseja se ponga en contacto con ellos para ver si poseen este servicio.

7. No conectarse, ni efectuar operaciones que tengan que ver con el comercio electrónico en ordenadores ni redes públicas.

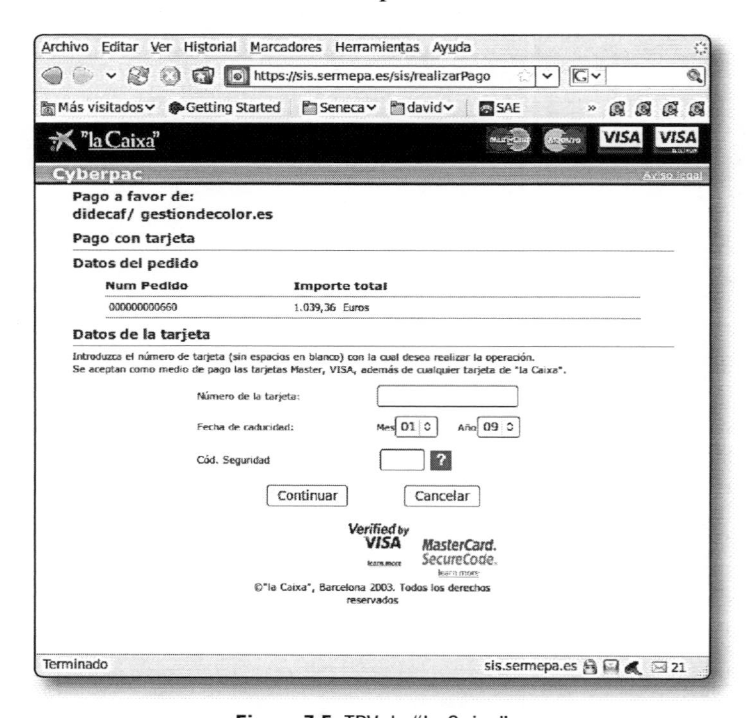

Figura 7.5. TPV de "la Caixa"

RESUMEN

- Cifrado: proceso por el cual se modifica la información original con la intención de que sea incomprensible para todos menos para quien queramos que la pueda leer.
- Protocolo criptográfico: protocolo con el que se lleva a cabo el cifrado.
- TPV: Terminal Punto de Venta.

8

SEGURIDAD EN INTERNET

Aunque ya en capítulos anteriores hemos hablado de la seguridad y los puntos que debemos tener en cuenta en el caso del correo electrónico, o de las compras en Internet, no es lo único que se puede decir de ella.

Es por ello que hemos decidido tratar el tema, o lo que queda de él, desde un capítulo independiente.

8.1 ANTIVIRUS

Todos estamos de acuerdo en la necesidad de las vacunas que nos preparen frente a enfermedades. Pues un antivirus en informática es eso. Es un programa que nos previene de enfermedades tecnológicas, pero al igual que pasa con las enfermedades, muchas de ellas están por venir, y no podemos protegernos frente a lo que no conocemos.

Antes de explicar cómo trabajar con un antivirus debemos aclarar, o más bien responder a la duda o certeza que muchos dicen de "Como tengo un buen antivirus, estoy a salvo".

Esta expresión tan cotidiana y tan oída entre los usuarios de informática no es más que otro mito. Solo estaríamos protegidos de todos los virus si las empresas creadoras de los antivirus fueran a su vez las creadoras de los virus y por supuesto estuvieran de acuerdo unas con otras para tener la solución antes de soltar el *malware* por Internet.

Para que podamos comprender mejor la falsedad de la expresión tan solo debemos comprender cómo se propagan los virus y cómo trabajan los antivirus.

Un antivirus no es más que un programa que busca dentro de mis archivos huellas de virus que él conoce. A estas huellas las llama firmas. Así mismo busca programas que considera que no actúan de forma correcta y los envía a su central para su estudio, siempre y cuando el usuario de dicho antivirus lo autorice. Si tenemos en cuenta la gran cantidad de software pirata que se utiliza, esto provoca que no todos los usuarios de antivirus estén dispuestos a enviar información de archivos sospechosos a la empresa del antivirus que están usando ilegalmente.

Partamos de un programador cualquiera que desarrolla un *malware* cualquiera. En el momento de su primer contagio, este programa me infectará a mí, y se reenviará a toda la lista de mis contactos de correo. Tan solo han pasado unos minutos y yo solo he infectado sin saberlo a 100 personas.

Esas 100 personas infectarán a una media de 30 personas cada una. Todavía no hemos acabado el día y ya hemos infectado a más de 3.000. Tengamos en cuenta que los antivirus no son adivinos y por tanto estos 3.000 a pesar de tener un buen antivirus están infectados sin saberlo, ya que el *malware* es de nueva creación y aún no tiene vacuna. Así mismo cada uno de estos 3.000 infectará a otros 25 de media y así sucesivamente.

Probablemente para cuando la empresa del antivirus reconozca el *malware*, existirán millones de ordenadores infectados por todo el mundo, algunos de los cuales podrían haber sufrido consecuencias devastadoras en sus datos.

Ilustración 8.1. Todos estamos en la tela de araña de Internet

Entonces, ¿qué puedo hacer para evitar ser infectado? Pues realmente poca cosa aunque no poco efectiva.

1. Usar el sentido común y no abrir mensajes de correo electrónico de origen desconocido. Sobre todo si estamos utilizando un programa que gestione nuestro correo electrónico localmente.

2. Tener mucho cuidado con los mensajes que recibimos de nuestros amigos, y ante cualquier duda, ponernos en contacto con ellos para informarles y que nos informen.

3. Establecer una precaución extrema al visitar páginas web que puedan ser peligrosas como las páginas de contenido sexual y las de software ilegal.

4. No usar nunca software ilegal o de procedencia dudosa.

5. Limitar el contacto con personas que no guarden las debidas medidas de precaución. Pensemos siempre que en seguridad una cadena es tan fuerte como el más débil de sus eslabones.

6. Desconfiar de la no infección de los ordenadores públicos cuando tengamos que guardar nuestros datos en un *pendrive* por ejemplo.

A pesar de esto, no estaré tampoco seguro nunca de no estar infectado, o de no infectarme en un momento dado, con lo que lo más seguro que puedo hacer para tener a salvo mis datos es:

1. Realizar periódicamente una copia de seguridad de los datos que no quiera perder en caso de infección.

2. Tratar de no almacenar información de carácter personal en nuestro ordenador. Para ello es recomendable la utilización de un dispositivo de almacenamiento externo que intentaremos utilizar de forma exclusiva para el almacenamiento de dichos datos.

3. Nunca permitir al ordenador almacenar contraseñas y nombres de usuario.

Finalmente, se aconseja tener cuidado con los reenvíos de los correos electrónicos ya que si no eliminamos todas las direcciones de las personas por las que han pasado, llegarán a donde no deben y podrán ser utilizados para envío de publicidad no deseada, dentro de otras muchas lindezas.

8.1.1 Elección e instalación de un antivirus

Existen en el mercado multitud de programas antivirus puestos a nuestra disposición. Unos son de pago, otros nos ofrecen tiempos de prueba y otros son gratuitos. Pues bien, lo primero que tendremos que hacer es elegir entre tan amplio elenco.

Basándonos en la estadística de uso aportada por *http://www.av-comparatives.org/*, podemos ver que el antivirus que mejor respuesta da es **Avira**.

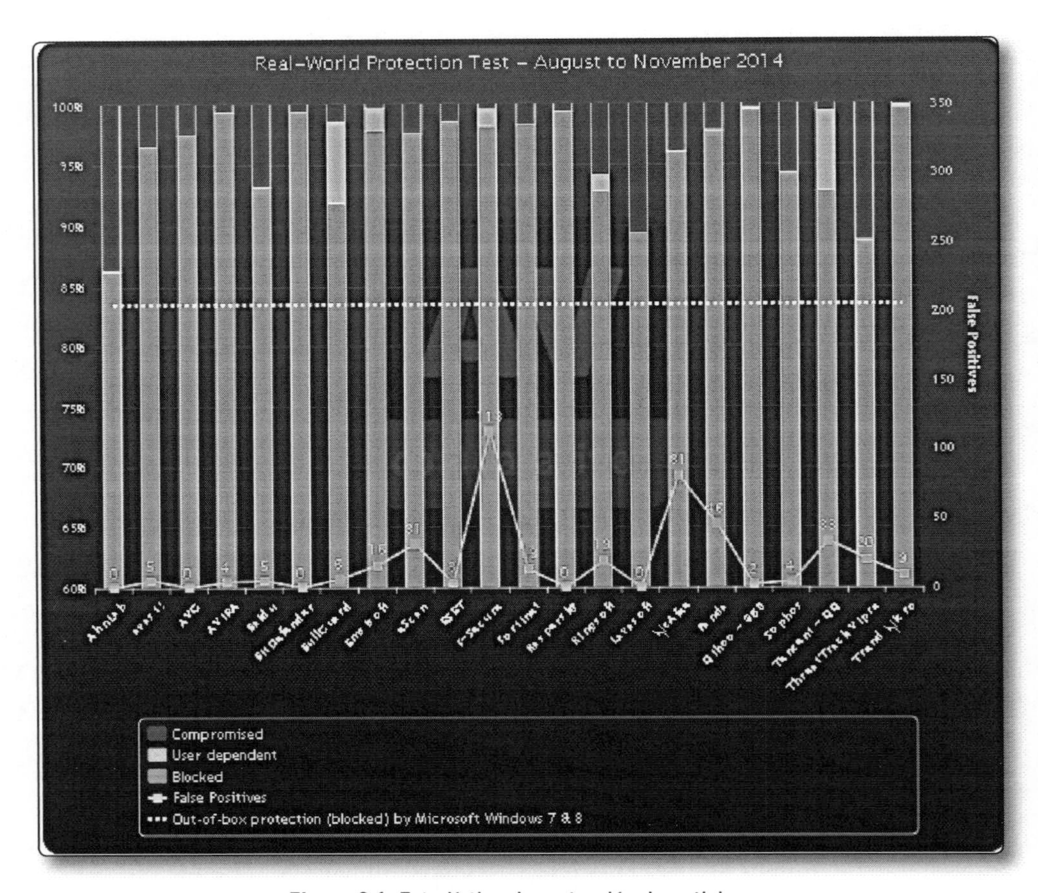

Figura 8.1. Estadística de protección de antivirus

Avira además es una alternativa que nos ofrece versiones gratuitas y multidispositivo para dispositivos móviles. Por lo tanto es la que vamos a escoger nosotros. Para descargar la versión gratuita accederemos a la página web *http://www.avira.com/es/avira-free-antivirus* y pulsaremos sobre el botón **Descarga gratuita**.

Figura 8.2. Página web de Avira y opción de descarga gratuita

La instalación no tiene grandes secretos. Basta con ejecutar el archivo descargado, dar a **Siguiente** y aceptar los diferentes acuerdos.

RETO

Asegura tu equipo instalando el antivirus indicado.

Una vez se instale en nuestro equipo se abrirá el navegador web para indicarnos que ya está toda la instalación concluida. Podemos cerrarlo sin más.

NOTA

Como hemos dicho, existe una versión para *smartphone* que podemos descargar e instalar desde **Play Store**.

8.2 CORTAFUEGOS

Cuando hablamos de Internet generalmente hablamos, sin saberlo, de inseguridad informática. Ningún equipo informático conectado a Internet es un equipo seguro. Siempre podemos tratar de asegurar nuestro sistema lo más posible, aunque nunca estaremos asegurados al ciento por ciento.

No obstante, para asegurar nuestro equipo informático, podemos disponer de distintas herramientas como antivirus, centros de seguridad, herramientas de control parental, etc.

Pero posiblemente la más potente y la más importante de las herramientas que podemos utilizar para asegurar nuestro sistema es el *firewall* o cortafuegos. Un *firewall* puede estar implementado (desarrollado) a nivel de software o de hardware. Es decir, puede ser tanto un aparato independiente a nuestro equipo informático, como una aplicación instalada en este.

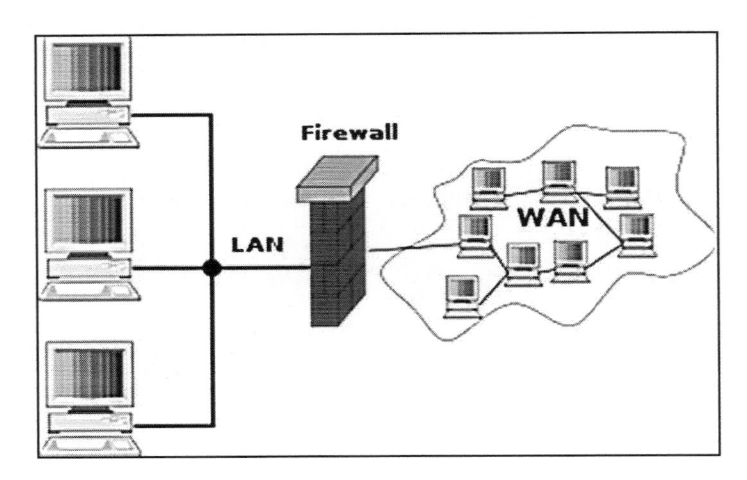

Ilustración 8.2. Esquema de un firewall o cortafuegos

Un cortafuegos o *firewall* lo que hace es aceptar qué puede entrar a nuestra máquina y qué no. Esto es más complejo ya que nosotros como usuarios no siempre sabemos qué aplicaciones utilizan realmente nuestra conexión con Internet, además tampoco sería cómodo que cada vez que se establece una conexión con Internet se nos pregunte si queremos o no que esta conexión se realice.

Para automatizar este proceso es para lo que se desarrollaron los cortafuegos. De hecho un cortafuegos no es más que un equipo informático o aplicación donde se graban una serie de reglas para que este proceso sea lo más automático posible.

Por ejemplo, sabemos que si lo que estamos haciendo es navegar por Internet, nuestra aplicación, bien sea Internet Explorer, Mozilla Firefox, Google Chrome o cualquier otra, solicitará la información correspondiente al servidor al que nos conectemos al puerto 80 (una vía de acceso específica). El navegar por Internet es una tarea conocida y no maliciosa, por tanto podemos incluir una regla en nuestro cortafuegos en la que digamos que quedan permitidas todas las consultas al puerto 80 (puerto destinado a comunicación http). Como vemos para poder configurar de forma correcta un cortafuegos debemos saber cómo funcionan las aplicaciones que queremos usar. No obstante, los cortafuegos personales, que son los más extendidos, vienen ya con distintas aplicaciones predefinidas como los navegadores para no crearnos problemas en su utilización.

8.2.1 Ventajas e inconvenientes de un cortafuegos

Ya sabemos más o menos qué es un cortafuegos y cómo funciona. Ahora pasaremos a ver qué ventajas e inconvenientes podemos encontrar al trabajar con él.

8.2.1.1 VENTAJAS

- **Protección frente a intrusiones**. El cortafuegos nos permitirá proteger no solo nuestro equipo sino también nuestra red de posibles intrusiones.
- **Protección de la información**. Nos permitirá autorizar o denegar el acceso a determinados contenidos dependiendo de la dirección de origen de la que vengan.

8.2.1.2 INCONVENIENTES

- **Protección real**. El cortafuegos no nos protegerá ante usuarios negligentes o que hagan uso inadecuado de esta herramienta.
- **Ingeniería social**. Un cortafuegos no puede protegernos frente a ataques de ingeniería social, ni protege información nuestra colgada en redes sociales o servidores ajenos a nosotros.
- **Fallos de servicios permitidos**. Muchos gusanos y virus se instalan en nuestro equipo utilizando vulnerabilidades conocidas de servicios cuyo tráfico está permitido a través del *firewall* o cortafuegos como pueden ser el correo electrónico o la navegación por páginas web.

8.2.2 Centro de actividades de Microsoft Windows

El Centro de actividades de Windows está pensado para centralizar la información de seguridad y notificarnos las tareas necesarias para mantener a nuestro equipo en óptimas condiciones.

Para acceder a este centro de seguridad podremos pinchar sobre el **banderín** que se nos presenta en la parte inferior derecha, junto al reloj del sistema operativo.

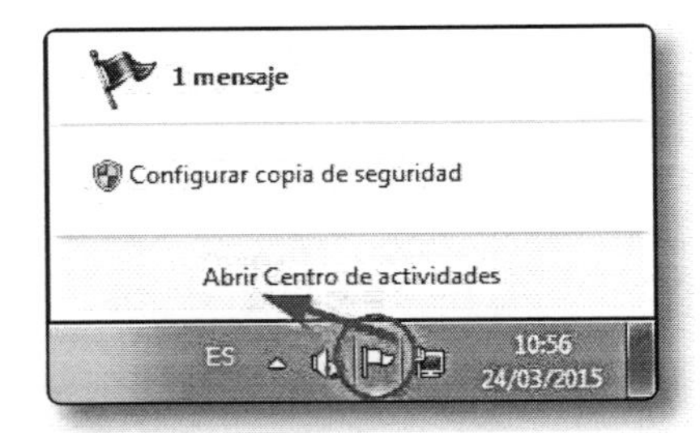

Figura 8.3. Acceso al Centro de actividades

Aquí dentro podremos pulsar la opción **Abrir Centro de actividades** para abrir el listado de notificaciones y las tareas planteadas para solucionar los problemas.

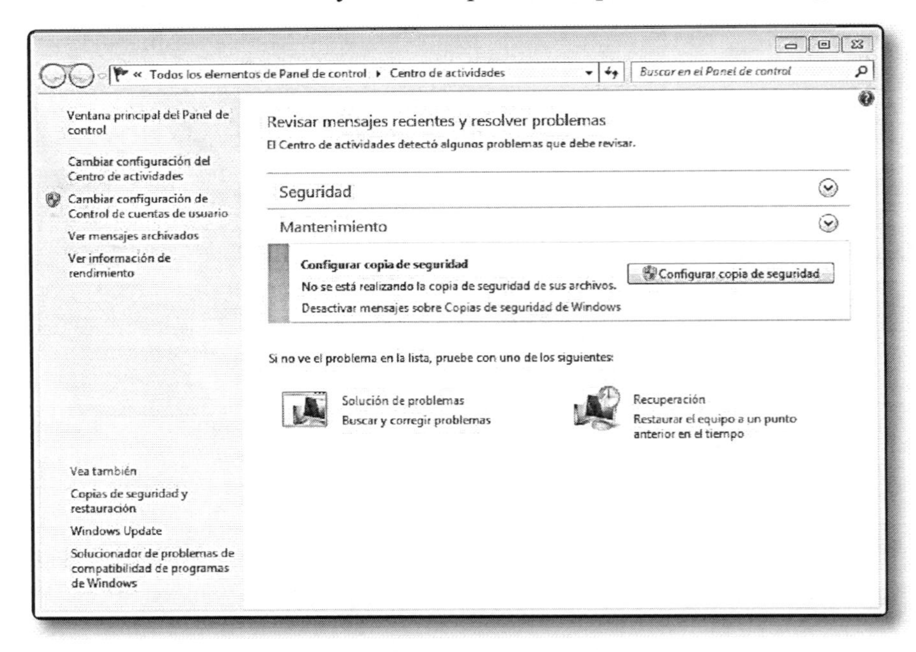

Figura 8.4. Centro de actividades

Solo nos quedará pulsar sobre los botones asociados y realizar los cambios propuestos.

8.3 CONCLUSIÓN

Para nuestra seguridad es importante que instalemos cortafuegos y antivirus pero siempre debemos tener claro que la mejor defensa contra Internet y sus males es la precaución.

De nada sirve tener todo este software instalado si nos comportamos como verdaderos kamikaces. Pongamos un ejemplo.

En la actualidad los coches vienen equipados con grandes avances en el terreno de la seguridad, no obstante nada de esto le salvará la vida si circula a 210 km/h. Así que sea precavido tanto en relación a la gente en la que confía en Internet, como en relación a las aplicaciones que instala en su equipo.

Si no tiene en cuenta estas normas básicas, tendrá un antivirus inservible y un *firewall* que le estará quitando recursos de su sistema y dejando pasar absolutamente todo el tráfico de la red, con lo que para esto sería mejor que no los instalara. Así por lo menos su equipo le funcionaría más rápido.

RESUMEN

- Ingeniería social: hacerse confiable a costa de mentiras, de esta manera conseguimos accesos aportados por el propio usuario.
- *Firewall*: cortafuegos.

9

BLOGS Y CMS

Cada día es más habitual que los usuarios de Internet quieran tener y poner a disposición de otros usuarios determinada información. Para ello, podemos hacer uso de diferentes herramientas que Internet nos aporta, tales como los blogs (similares a los diarios) o la creación de páginas web gratuitas con plataformas como la que nos oferta drupal gardens.

9.1 BLOGS EN GENERAL

Un medio muy utilizado por gran parte del sector que maneja Internet son los *blogs*, que como se dijo en la introducción son algo así como diarios.

En este apartado daremos a conocer una lista de *blogs* gratuitos y trataremos de explicar las diferentes formas de uso que puede tener un *blog* según la finalidad deseada. Así mismo daremos una serie de consejos de forma que la información aportada en dicho blog quede protegida.

El espacio de creación de *blog* que hemos elegido para el desarrollo de este apartado es Google Blogger por tener gran cantidad de seguidores. No obstante el proceso a seguir con el resto es muy similar, de forma que si usted es capaz de entender la simpleza de este sistema de comunicación no tendrá problemas con ninguna de las demás alternativas.

Igualmente indicar que lo aquí expuesto es solamente una parte de las ofertas que puede encontrar en Internet y que existen muchas más.

Figura 9.1. Algunos alojamientos de blogs que puede encontrar en Internet

9.1.1 Creación de una cuenta en Blogger

Lo primero que tendremos que hacer es acceder a su área de registro, que en el caso de Google Blogger está en la dirección web https; el proceso es tremendamente sencillo, basta con que pulse sobre el botón **Crear Blog Ahora** y seguir los pasos que nos propone.

Google Blogger es una de las utilidades que Google pone a nuestra disposición de manera gratuita. Por lo tanto con tener una cuenta del correo web de Google, Google Gmail, ya podremos tener acceso a ella. La ventana de acceso que se nos presentará es similar a la presentada para acceder a Google Gmail.

NOTA
En el caso de Blogger existe una peculiaridad y es que previamente a la creación necesitaremos una cuenta de correo en Gmail, no obstante el proceso va integrado al registro de Blogger. En caso de tener ya una es necesario entrar con los datos de dicha cuenta.

Una vez terminado el proceso de registro nos toca comenzar a publicar. Pero, ¿qué son todos esos botones que aparecen? Intentaremos explicar lo más imprescindible para iniciarnos en su uso.

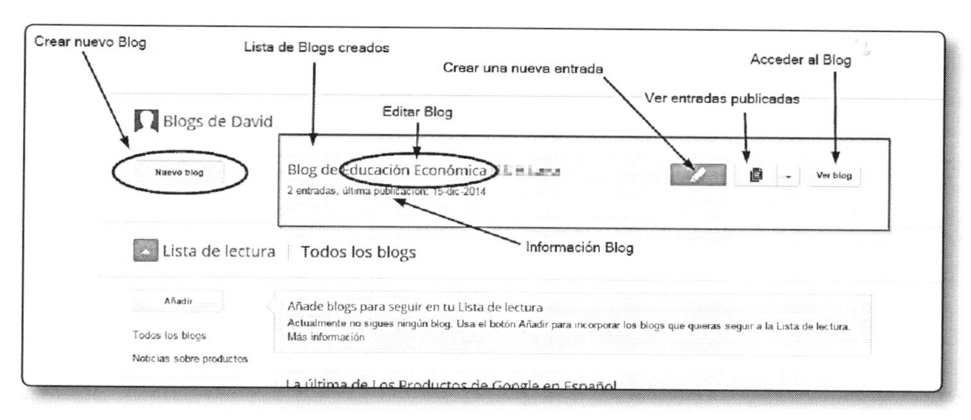

Figura 9.2. Opciones de Google Blogger

9.1.2 Creación de un blog

Si pulsamos sobre la opción de **nuevo blog**, se nos presentará una pantalla en la que podremos introducir el título del blog, el estilo visual del mismo y el nombre de la dirección deseada.

Figura 9.3. Datos iniciales del nuevo blog

Como podemos ver en el apartado **Dirección**, el nombre será del tipo **nombre_deseado.blogspot.com**. El **nombre_deseado** lo asignaremos nosotros, y tendrá que estar libre.

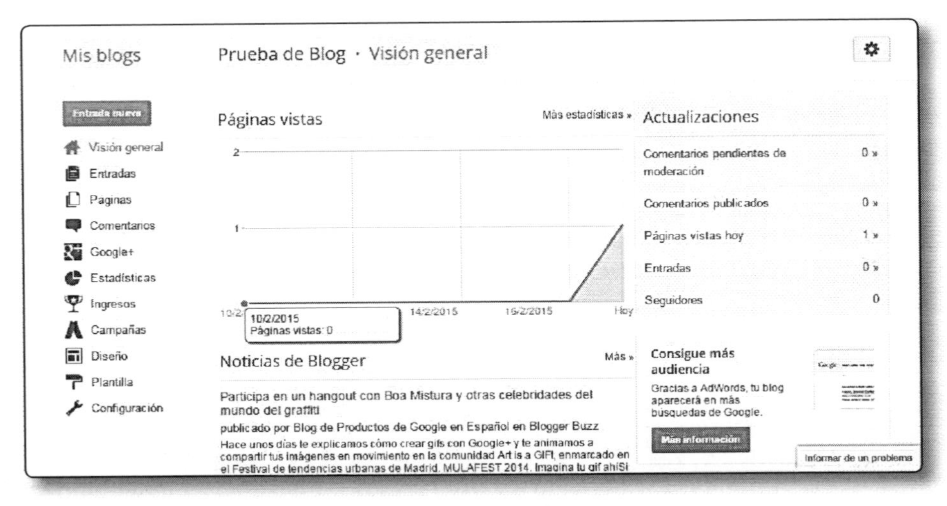

Figura 9.4. Opciones del blog recién creado

En la parte izquierda se nos presenta un menú con las diferentes opciones disponibles. Para empezar, las más interesantes son:

- **Entrada nueva**. Añadir una nueva entrada al blog con la fecha actual.
- **Visión general**. La visión proporcionada en la imagen anterior.
- **Entradas**. Listado de entradas publicadas.
- **Comentarios**. Los diferentes visitantes de nuestro blog podrán dejar comentarios en las publicaciones que realicemos. Desde aquí podremos moderarlos.
- **Ingresos**. Opciones de ingresos por visitas, o lo que es lo mismo inserción de publicidad a cambio de cobrar por ella. Estos ingresos variarán según el número de visitantes y la pulsación de estos a los enlaces.
- **Diseño**. Estética del blog y su distribución, cada cuadrado puede ser reeditado con la simple acción de arrastrar.
- **Plantilla**. Modificación de la visualización seleccionada.

- **Configuración**. Espacio reservado a personalizar la configuración de uso de nuestro blog, aquí marcaremos los aspectos relacionados con nuestra seguridad.

NOTA
En el área central podemos ver la estadística de visitas de nuestro blog.

9.1.3 Creación de entradas

Si pulsamos la opción de **Entrada nueva** nos mostrará un nuevo formulario que debemos rellenar para que la entrada sea efectiva.

Dentro de la nueva entrada se podrán añadir imágenes, vídeos y personalizar el texto en su color, tamaño o posicionamiento del mismo. Para completar la publicación tendremos que pulsar en **Publicar**.

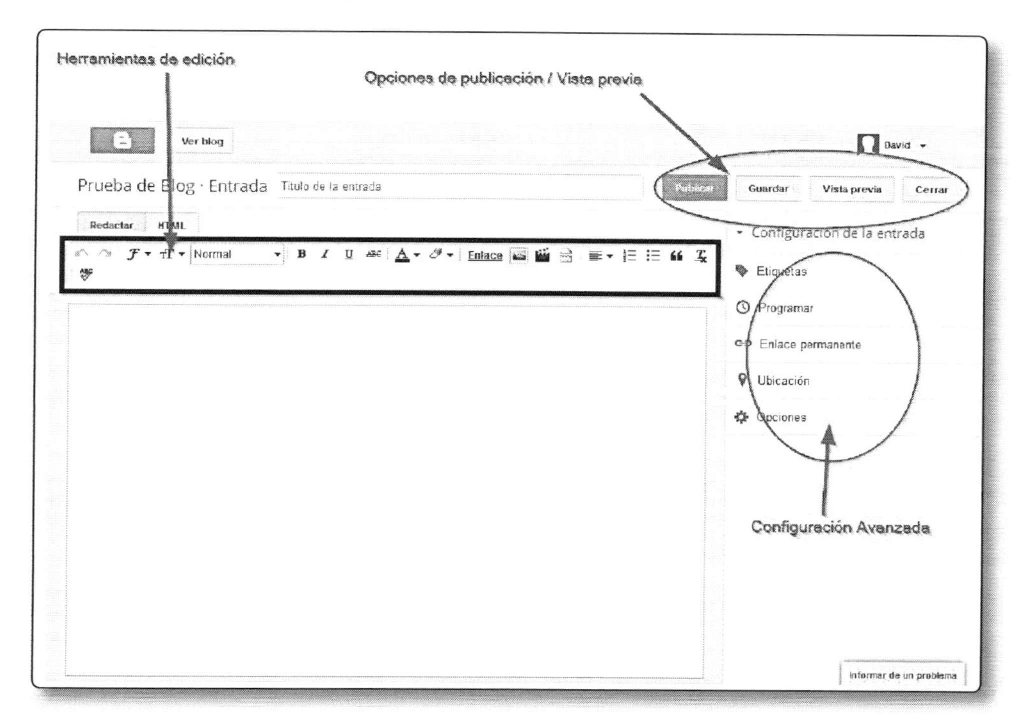

Figura 9.5. Nueva entrada en el área de creación de entradas

Las opciones avanzadas no son necesarias. En caso de prever que vamos a publicar bastante contenido, es recomendable etiquetar las diferentes entradas con la intención de que se cree una clasificación.

9.1.4 Configuración

Dentro de **Configuración** podremos definir gran número de elementos.

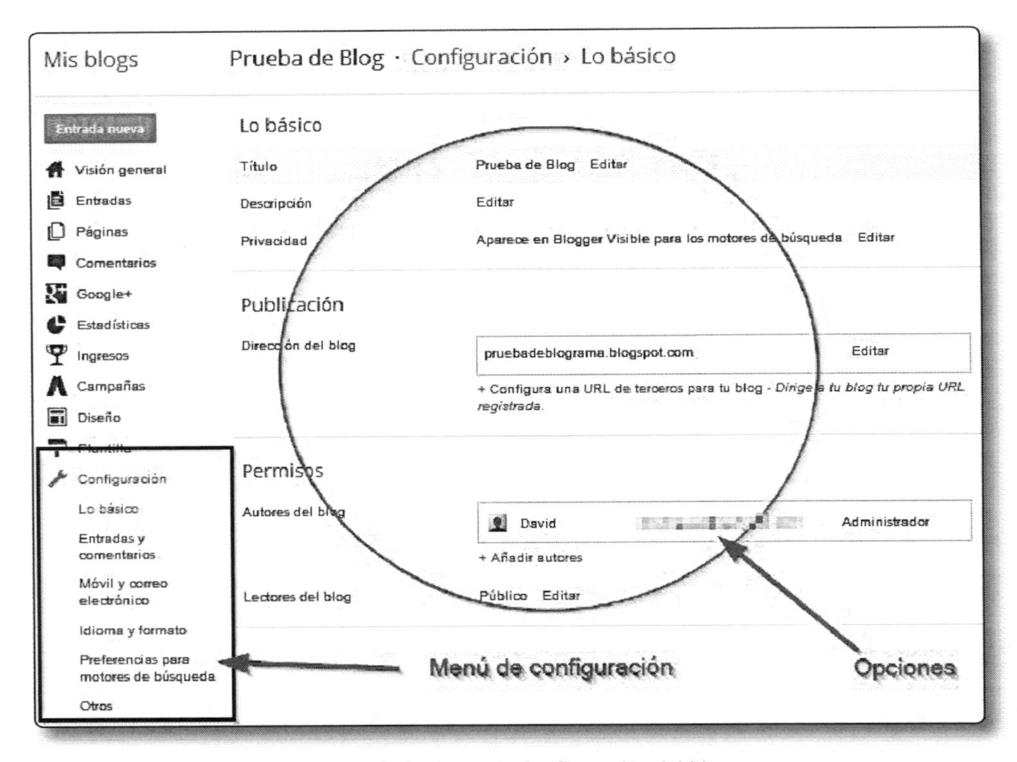

Figura 9.6. Opciones de Configuración del blog

En el menú de Configuración nos encontramos:

- **Lo básico**. Donde podremos añadir otros usuarios con cuenta de Google Gmail de manera que puedan añadir entradas a nuestro blog, y así hacer un blog colaborativo.

- **Entradas y Comentarios**. Opciones sobre los posibles comentarios que puedan dejar los visitantes de nuestro blog. Igualmente este apartado tiene unas opciones que son especialmente interesantes.

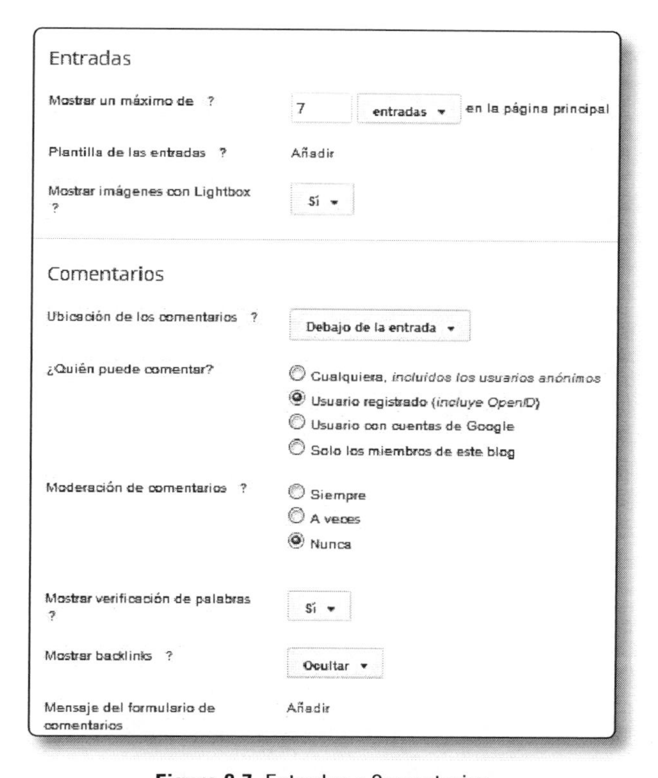

Figura 9.7. Entradas y Comentarios

- **Idioma y Formato**. Configuración de los formatos de nuestro blog, como por ejemplo el formato de fecha y hora.

- **Móvil y Correo electrónico**. Opciones de publicación mediante teléfono móvil o correo electrónico.

- **Otros**:

  - **Feed del sitio**. Modo de seguimiento que permitimos.

  - **OpenID**. Unificador de identificadores. Es una forma de unificar varios nombres de usuario bajo uno solo.

9.1.5 Diseño

El área Diseño nos aporta de forma fácil opciones de personalización de la estética de nuestro *blog*. Desde los colores y posiciones de los elementos hasta la inclusión de nuevos elementos conocidos dentro de Blogger como *gadgets*.

Figura 9.8. Opciones de Diseño del blog

- **Añadir un gadget**. Nos permite insertar nuevas opciones a nuestro blog. Para cada cambio que se realice aquí hay que recordar que tenemos que darle a **Guardar disposición**. También podremos cambiar su ubicación arrastrando la caja deseada.

9.1.6 Modificar la plantilla

Cuando creamos nuestro blog, seleccionamos una plantilla a modo de como queremos que se vea nuestro blog. Pero este proceso no es definitivo. Desde este apartado podemos seleccionar otras plantillas que cambiarán la estética de nuestro blog.

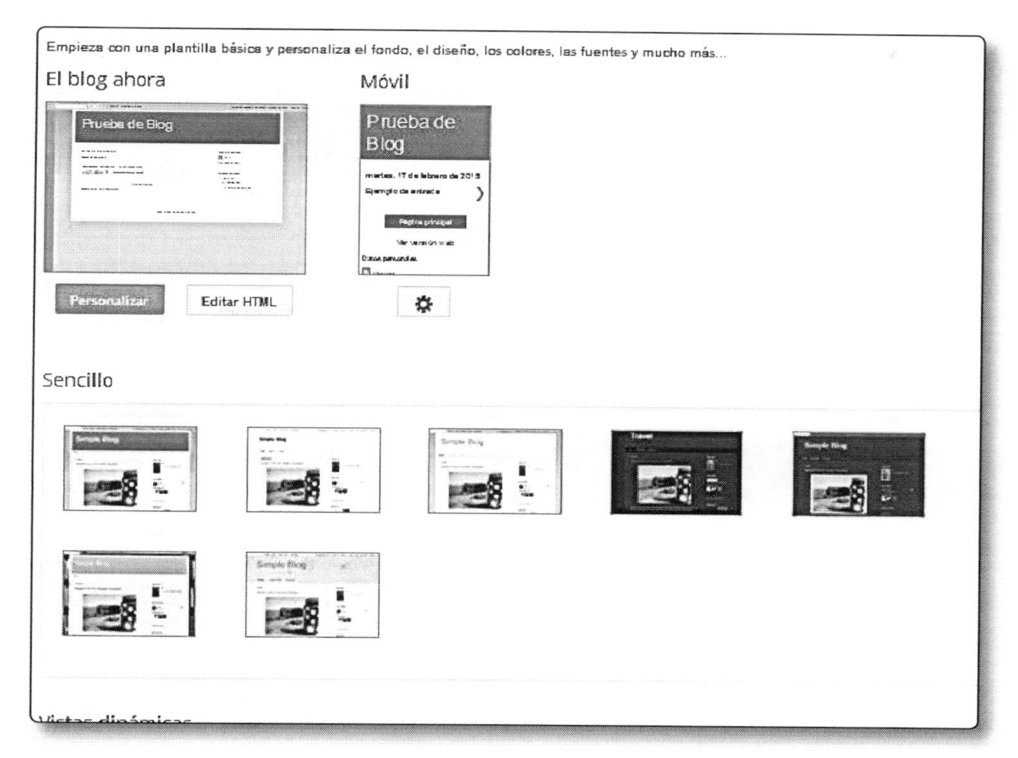

Figura 9.9. Selector de plantillas

9.2 TU WEB CON EL CMS DRUPAL

CMS son las siglas de *Content Management System*, o lo que es lo mismo sistema de gestión de contenidos. Dicho de otra manera, un CMS nos da la posibilidad de crear una página o sitio web con una finalidad concreta, dependiendo del CMS elegido, y así mismo nos permite la gestión del contenido alojado en la misma de una manera dinámica e intuitiva.

Existen multitud de alternativas, prácticamente existen CMS especializados para cualquier tarea que queramos desarrollar en Internet. Incluso muchos de los CMS ofertados para una tarea específica pueden ser moldeados y transformados para que finalmente nos sirvan para otros fines.

En conclusión, para usuarios no muy interesados en el desarrollo web, pero que necesitan un producto sólido y estable con el que poder ofertar su producto en la red, es decir *on-line*, optar por un CMS es una alternativa más que recomendable.

9.3 CREAR NUEVO SITIO

El CMS elegido en nuestro caso para crear nuestra página web será Drupal y el sitio web, la página web, la vamos a crear en drupal gardens.

Para crear el nuevo sitio en drupal gardens accederemos a la dirección web del proyecto *http://www.drupalgardens.com/*, donde podremos ver en la página principal el botón de acceso para crear un nuevo sitio, llamado **Create a free site**.

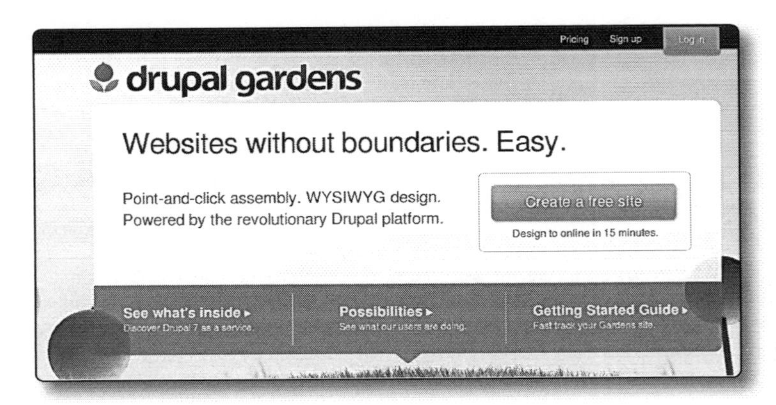

Figura 9.10. Página principal de drupal gardens

Los primeros datos que se piden son:

- *Site URL*: el nombre que teclearemos para acceder a la web. Observar que tras el nombre pone drupalgardens.com. Por lo tanto nuestro nombre será **eligeCMS.drupalgardens.com**.
- *Username*, *Password*: datos para acceder a la cuenta del sitio.
- *E-mail address*: importante, pues se mandará un mensaje de confirmación tras el registro.
- *Word verification*: seguridad que evita a los robots de registro automatizado.

Si la web está disponible y todo ha sido correcto en el registro, será el momento de elegir la plantilla para nuestro sitio web Drupal.

Por lo tanto, lo primero que tendremos que hacer es indicar las funcionalidades que queremos que tenga. En la columna de la izquierda aparecen las funcionalidades habilitadas, en la columna de la derecha tenemos las páginas que se van a mostrar.

Igualmente, en la parte superior podemos elegir de entre las plantillas preconfiguradas.

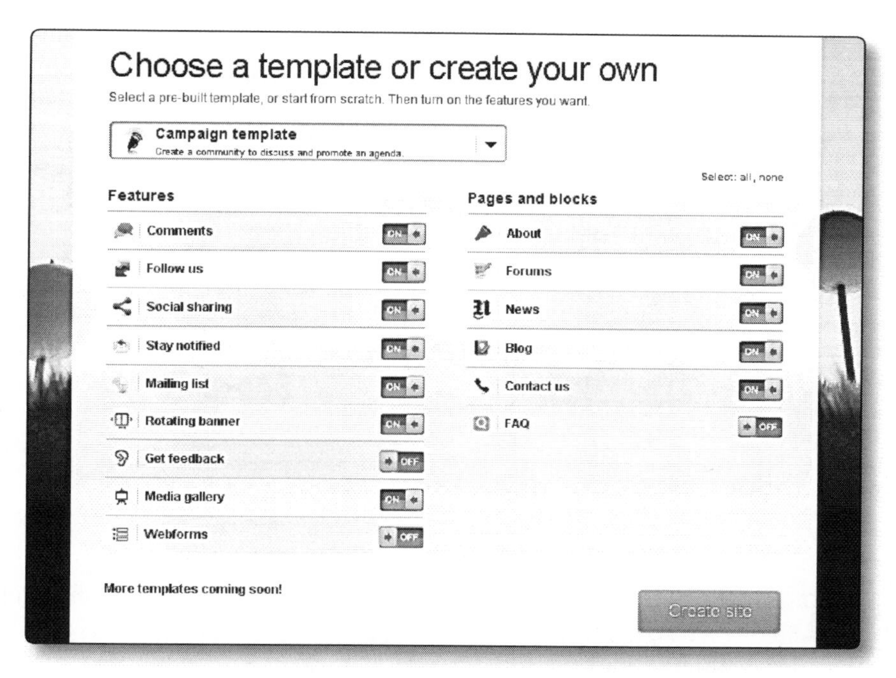

Figura 9.11. Elección de plantilla para nuestro sitio en drupal gardens

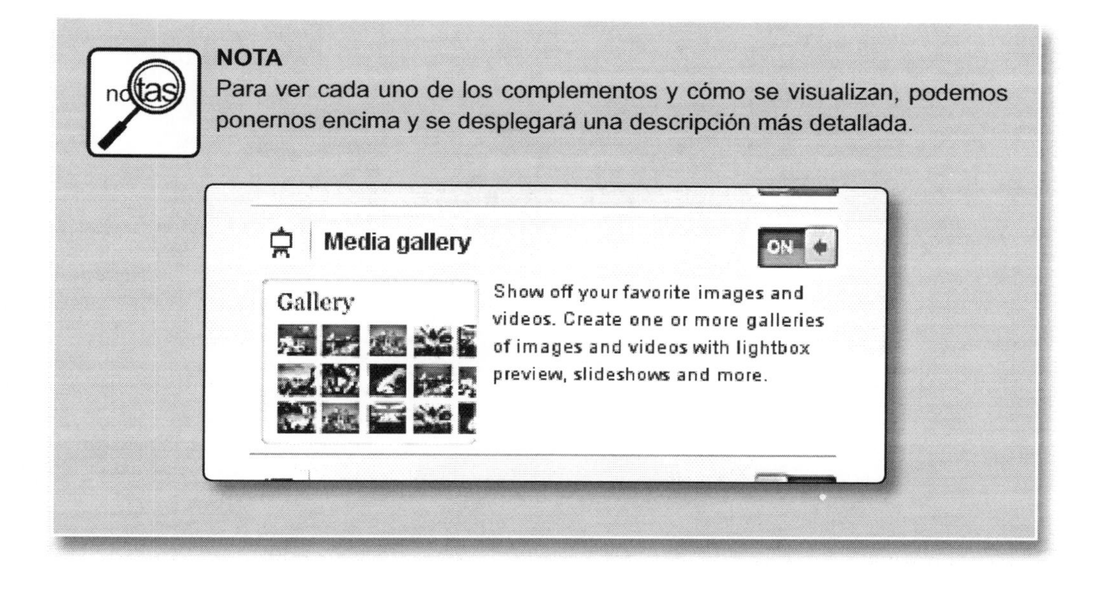

NOTA

Para ver cada uno de los complementos y cómo se visualizan, podemos ponernos encima y se desplegará una descripción más detallada.

Nosotros hemos decidido desactivar de **Pages and blocks** los apartados **Forums** y **Blog**. Tras lo cual hemos pulsado **Create site** para continuar con el proceso.

Tras una breve espera el sitio estará creado y listo para usar y administrar.

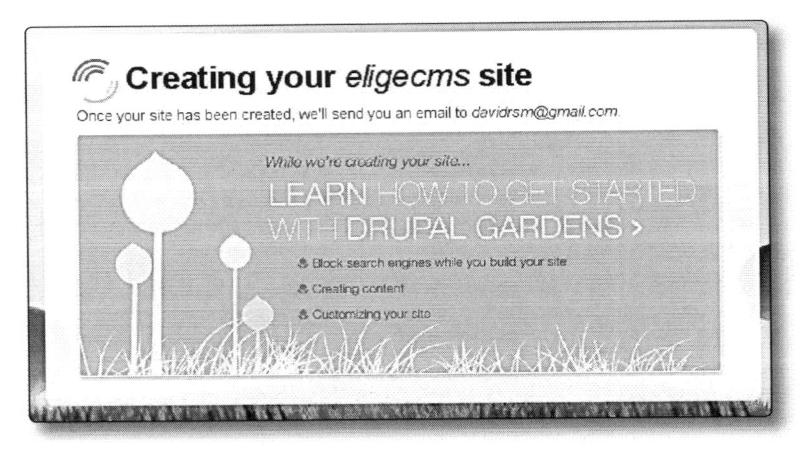

Figura 9.12. Animación de la creación del sitio

Como se puede ver en el mensaje de la imagen anterior, tras la creación del sitio se nos enviará un mensaje a nuestra dirección de correo. Esto es porque no necesitamos esperar a que el sitio se termine de crear. La petición ya ha sido lanzada y por tanto ya será cosa del servidor. Si salimos de esta página el proceso seguirá ejecutándose.

Ya está finalizado el proceso. Podemos ver el resultado en la dirección web registrada *http://eligeCMS.drupalgardens.com/*. Ahora vamos a personalizar nuestro sitio.

Figura 9.13. Nuestro nuevo sitio recién creado

9.4 CONFIGURACIÓN

La configuración de nuestro sitio creado en drupal gardens la vamos a llevar a cabo a través de la cuenta que hemos registrado. Para acceder acudiremos nuevamente a la página *http://www.drupalgardens.com/* y pulsaremos en **Login** situado en la parte superior derecha de la pantalla. Los datos de acceso son los que hemos tecleado en el registro.

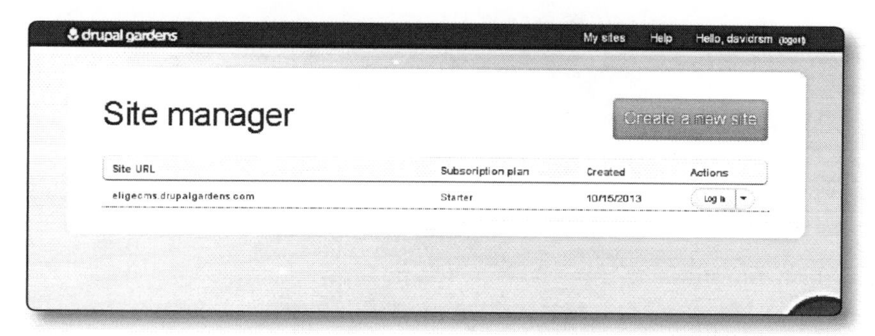

Figura 9.14. Área privada de drupal gardens

Como podemos ver en la pantalla principal, ya tenemos ahí nuestro sitio creado. Para trabajar con él solo tendremos que pulsar sobre la dirección web asociada.

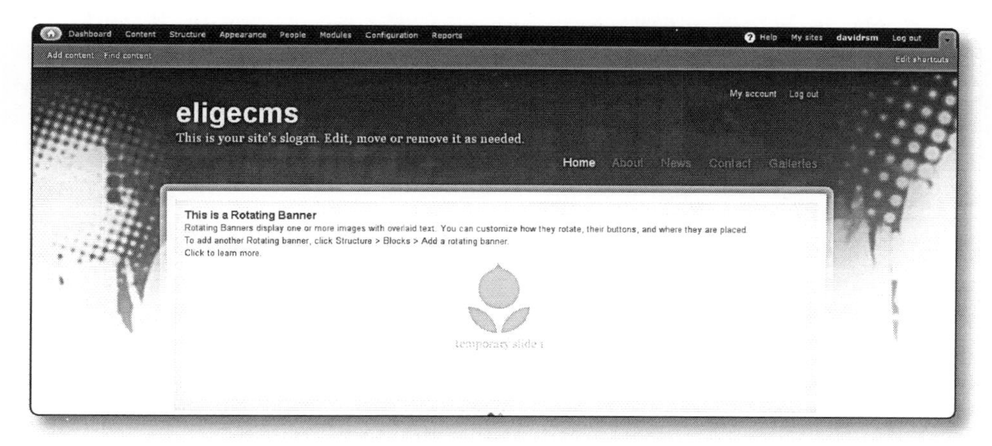

Figura 9.15. Nuestro sitio con el modo edición activo

Aunque existen diferentes maneras de trabajar con drupal gardens, nosotros nos vamos a centrar en una de ellas, la que consideramos la más intuitiva. Esta es la que trabaja directamente sobre el contenido del sitio. Para ello, solo tenemos que ponernos encima del bloque a modificar, y veremos que aparece a su izquierda un icono con forma de tuerca. Si nos posicionamos sobre este icono se nos mostrarán las diferentes opciones a realizar.

Figura 9.16. Menú edición título

9.4.1 Editar bloque

Para editar el título del sitio, el eslogan asociado o cualquiera de los bloques presentes en nuestro sitio, basta con que nos posicionemos sobre alguno de ellos y pulsemos sobre **Configure block** en el menú desplegable asociado. De esta manera se nos abrirá una ventana integrada en el sitio que nos solicitará los datos.

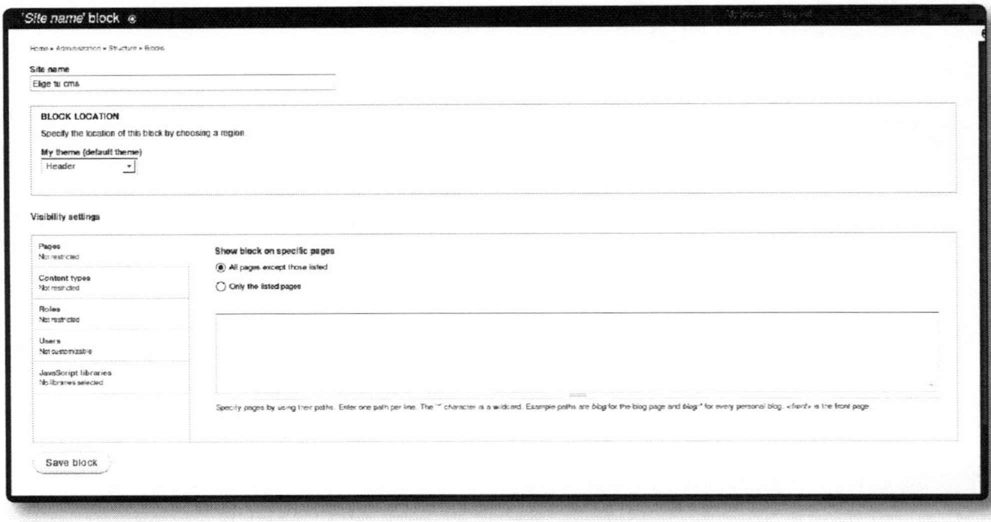

Figura 9.17. Configuración del bloque de título de la web

El nombre que aparecerá se escribirá en la primera casilla titulada en este caso **Site name**. El resto de elementos están relacionados con el bloque. Al ser una guía básica nos vamos a centrar en los que consideramos principales:

- *Block location*: nos permite reubicar el bloque dentro de nuestro sitio web.
- *Visibility settings*: dónde y quién va a ver este bloque. De esta manera podemos hacer visible este bloque a lo largo de todo nuestro sitio, o solo en determinados tipos de página por ejemplo.

Una vez terminemos pulsaremos sobre **Save block**. En este momento la ventana se cerrará y se recargará la página para que veamos los resultados.

Dependiendo del bloque que queramos modificar, veremos que las opciones iniciales cambiarán, no así las últimas.

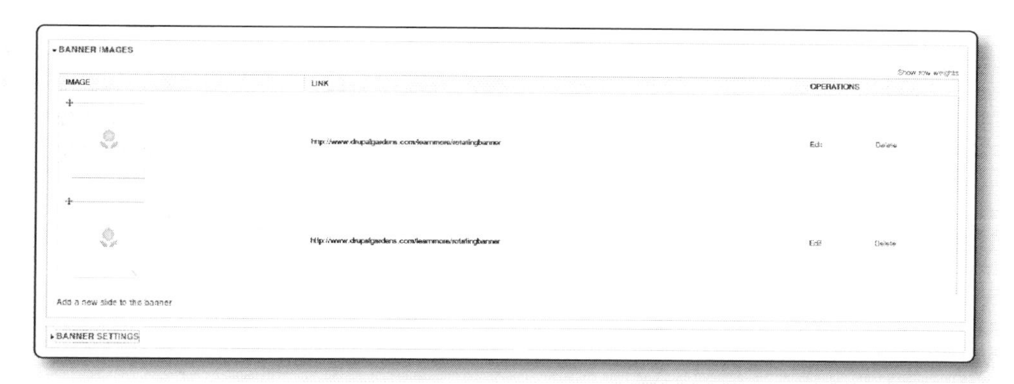

Figura 9.18. Opciones de Rotating banner

Por ejemplo, en el caso del bloque **Rotating banner** (pasafotos rotatorio) situado justo debajo del menú principal en la página principal, veremos que aparecen los apartados:

- *Banner images*: las diferentes diapositivas con imágenes que utilizará el *banner* animado. Podemos insertar más dándole a **Add a new slide to this banner**, o borrar alguna de las presentes pulsando sobre **Delete** a la derecha de la misma.
- *Banner settings*: nos permite personalizar el tipo de animación.

9.4.2 Gestión del contenido de una página

Para editar el contenido de una página acudiremos a **Content** y dentro de la ventana que nos aparece pulsaremos sobre la opción **Edit**, a la derecha del nombre de la página a personalizar. En nuestro caso como ejemplo vamos a personalizar **About us**.

Figura 9.19. Contenido

A partir de este momento solo tendremos que escribir nuestro contenido en el editor de textos que aparece.

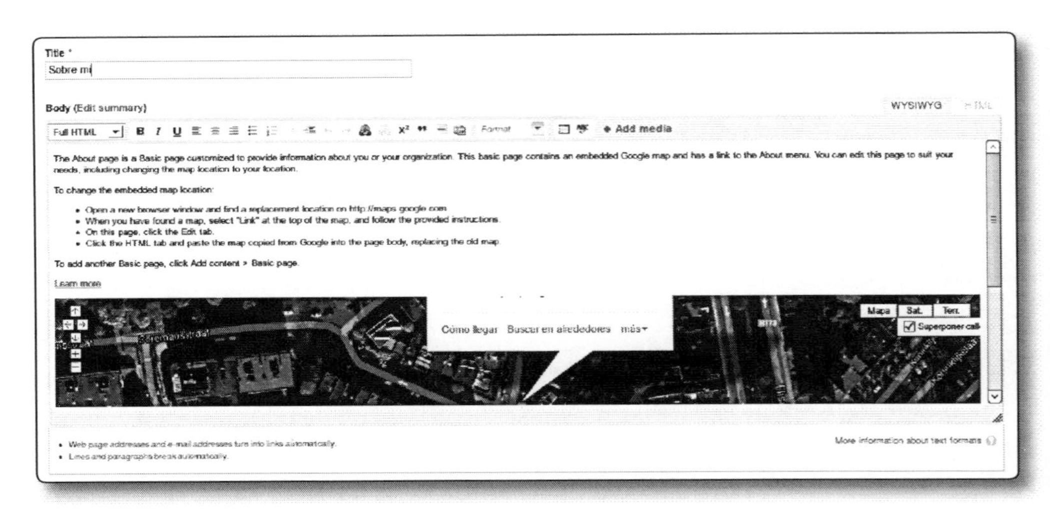

Figura 9.20. Edición del contenido de About us

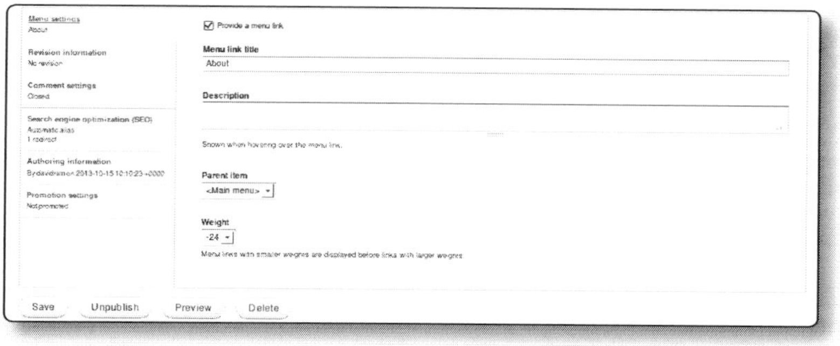

Figura 9.21. Opciones inferiores

Las opciones inferiores nos permiten personalizar los enlaces asociados a esta página. Si cambiamos el campo **Menu link** se cambiará automáticamente el nombre en su botón asociado en el menú. Igualmente si accedemos al apartado **Comment settings** y habilitamos los comentarios, permitiremos que usuarios externos dejen comentarios asociados a la página y su contenido.

Finalmente pulsaremos sobre **Save** o sobre **Preview** en caso de querer ver cómo están quedando los cambios.

9.4.3 Gestión del menú principal

Para editar el menú lo vamos a hacer directamente desde el menú contextual asociado que nos sale al posicionar el ratón sobre él. En este caso no seleccionaremos **Configure block**, sino **Edit menu**.

La ventana contiene todos los enlaces que contiene el menú. Vamos a añadir un enlace a una página externa.

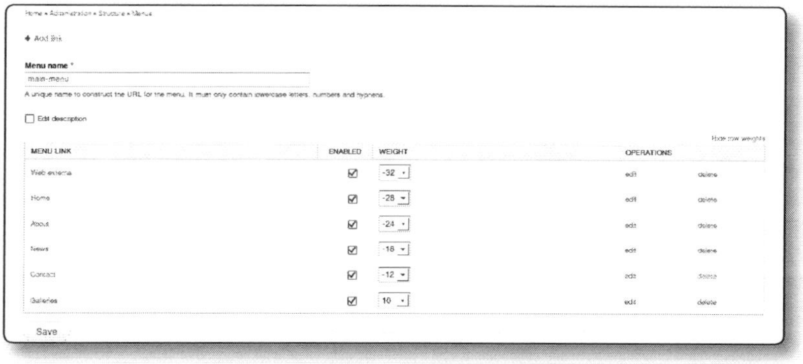

Figura 9.22. Elementos del menú

Primero mostraremos los *weight* (anchos) tal y como se ve en la imagen anterior, para ello pulsaremos sobre **Show row weights**. Esto nos permitirá ver el posicionamiento de cada uno de los elementos del menú y así poder calcular la posición de nuestro nuevo enlace. Teniendo en cuenta que de derecha a izquierda se separan **-4 puntos**, lo que tendremos que hacer, si queremos poner nuestro nuevo enlace a la izquierda de **Home**, es ponerlo en el **Weight -32**. Dicho esto, pulsamos sobre **Add link**, añadimos el **Menu link title** (texto del botón) y el **Path**.

Si queremos acudir a una ruta de nuestro sitio la pondremos tal y como indica en la descripción. En nuestro caso queremos acudir a una web externa, por lo tanto la teclearemos en su interior, no olvidando que debe incluir **http://**.

En el último campo pondremos el valor de **Weight** a **-32**. Ya podemos guardar pulsando **Save** y ver los resultados.

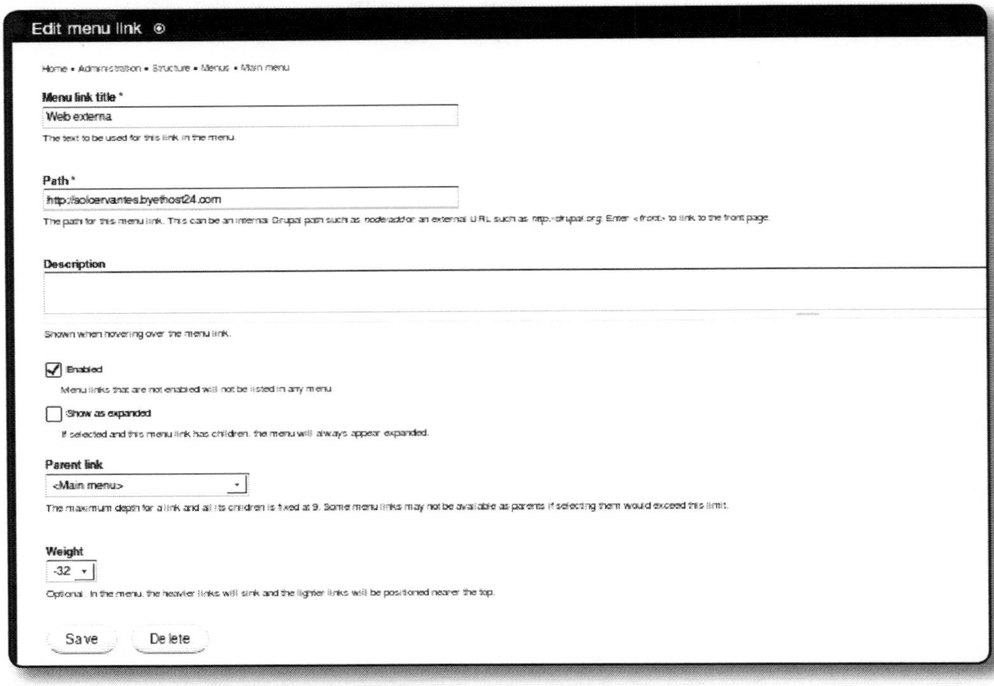

Figura 9.23. Opciones del nuevo link

9.4.3.1 AÑADIR PÁGINA NUEVA Y ENLACE A LA VEZ

Si queremos añadir una nueva página con contenido, y que a la vez tenga un enlace presente en el menú, lo podemos hacer de una sola vez desde la gestión de contenido **Content**. Ahí dentro pulsaremos sobre **Add content**.

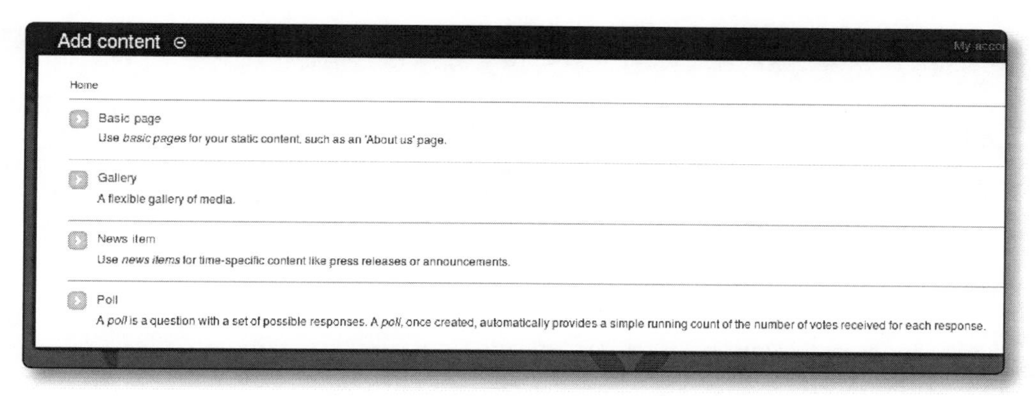

Figura 9.24. Tipos de contenido a crear

El tipo de página a crear puede variar, y como vemos, se nos permite elegirlo de entre cuatro opciones:

- *Basic page*: página de contenido básico, sin mayores florituras.
- *Gallery*: nos generará una galería fotográfica con las imágenes que le insertemos. Incluirá en esta galería un visor para cada una de las imágenes en grande.
- *New item*: página que contendrá una noticia temporal, o con contenido específico.
- *Poll*: con este podremos crear una encuesta.

Seleccione lo que seleccione, el resto será equivalente a la edición de una página ya creada. Tendremos que rellenar el título y el cuerpo a través de la herramienta de edición aparecida. Finalmente pulsaremos en **Publish**.

9.4.4 Cambio de tema

Hasta aquí todo muy bien para crear o modificar contenido de la web, pero puede que la finalidad de nuestro sitio no se adecue a la estética de la misma. En este caso lo único que tendremos que hacer es cambiar el tema de nuestro sitio. Para ello accederemos a **Appearance** desde donde podremos trabajar y personalizar todo lo relacionado con la estética de la web.

Figura 9.25. Modificación de la apariencia de la web

La herramienta presentada nos aporta diferentes pestañas superiores desde las que podremos realizar diferentes tareas:

- *Styles*: podemos cambiar estilos relacionados con la fuente (letra), bordes y espaciado o fondo.
- *Brand*: desde aquí seleccionaremos las gamas de color con las que visualizaremos la web; también podremos personalizar el logotipo utilizado.

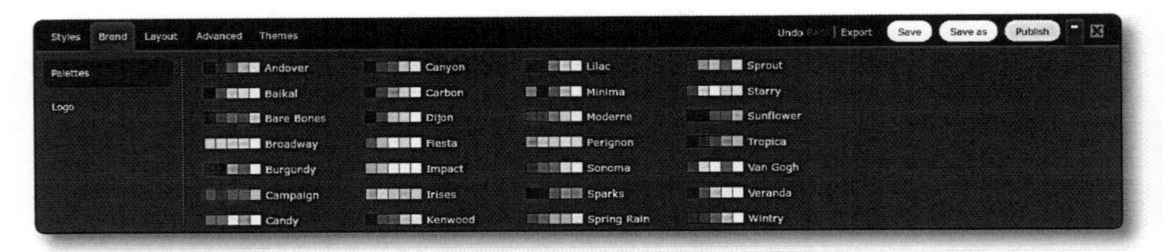

Figura 9.26. Opción Brand

- *Layout*: distribución de los bloques principales.

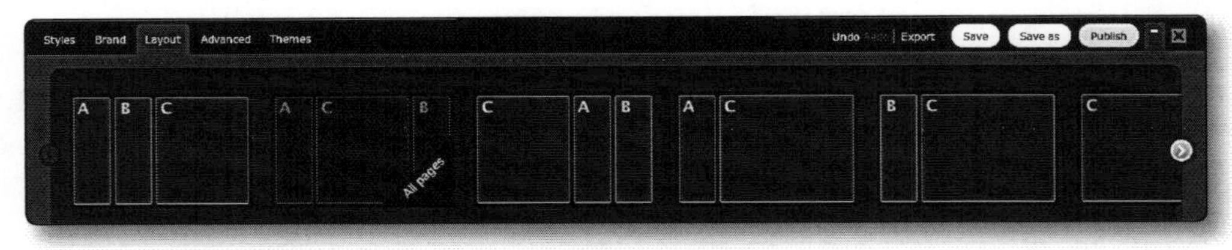

Figura 9.27. Opción Layout

- *Advanced*: modificaciones avanzadas, como la inclusión del **Viewport metatag** para la visualización correcta en dispositivos móviles.

Figura 9.28. Opción Advanced

La última opción es la que nos permitirá cambiar el tema que se está visualizando. Bastará con que pulsemos sobre **Choose a new theme** y que elijamos el deseado de entre los que se muestran en la lista.

Figura 9.29. Opción Themes

Nosotros nos hemos decidido por el tema **Kenwood** que como puede ver modifica la estructura de manera absoluta, además de la estética.

Figura 9.30. Nuevo tema seleccionado

Nada más seleccionarlo, podemos ver cómo quedará. Para que los cambios se hagan permanentes pulsaremos sobre **Choose**. Pulsado el botón tendremos que indicarle un nombre con el que se guardará esta selección en la lista anterior.

9.5 RECOMENDACIONES

Para no variar, se hace una serie de recomendaciones no tajantes que se deben tener en cuenta en el proceso de creación y administración de este nuevo *blog*, o nuestra nueva web:

- Se aconseja que los comentarios sean moderados para evitar la entrada de comentarios basura.
- Cuidado con dar permisos de edición a personas no del todo confiables. Si se decide hacer esto, en ningún momento les daremos privilegios de Administrador pues en ese caso podrán echarnos de nuestro propio blog, o web, sin posibilidad de volver a recuperar nuestros privilegios.
- El contenido del blog, si no cambiamos nada en la configuración, será totalmente público. Esto quiere decir que esa información puede ser visualizada por cualquiera que tenga acceso a Internet y por tanto podrá ser utilizada por estos en contra nuestra. Así que no pondremos en nuestro blog, o web, ningún dato privado que pueda ponernos en peligro.
- Esta misma información (texto, fotos, vídeos…) es común que pasado un tiempo y si es suficientemente interesante se pueda encontrar en otros blogs, o webs. Vamos, que nos la habrán sustraído sin nuestro conocimiento. En este caso se aconseja que nos anticipemos a ellos registrando la propiedad de la misma y por tanto tener una herramienta de presión para la inclusión de nuestra autoría o eliminación de nuestra propiedad.

9.5.1 Registro de propiedad

Como todo el mundo sabe, el medio más extendido de registro de propiedad es el *copyright*, pero no es el único.

Existe otra alternativa que va en contra de muchos principios establecidos por dicha forma de registro y que muestra su oposición desde su nombre, *copyleft*; si lo traducimos literalmente podremos entenderlo.

¿Dónde encuentro esto? Pues lo primero que tendremos que hacer es identificar nuestro blog o cualquier producto que consideremos mediante este sistema de registro. Para obtener más información de las diferentes licencias de uso accederemos a *http://es.creativecommons.org/*.

Realizado este paso que es meramente informativo, tendremos que proceder a registrar de una forma real nuestro producto. Insistimos en que puede ser desde un libro hasta una canción, pasando cómo no desde una foto hasta un *blog* entero.

NOTA

¡Cuidado!, el registro del *blog* entero indica que todo lo que tiene que ver con él lo hemos realizado nosotros. Esto es mentira en el caso de Blogger pues los códigos del *blog* no los creamos nosotros, sino que se nos proporcionaron libremente y por tanto podríamos tener problemas con este tipo de registro.

Para realizar dicho registro acudiremos a *www.safecreative.org*.

NOTA

Se aconseja leer atentamente si en nuestro país es válido este sistema de registro. De no serlo no nos servirá a título legal. En España sí lo es.

¿Cuesta algo? Pues aquí la pregunta más interesante. Nada es gratis y este procedimiento no es menos. Claro que nos costará algo y esta cuantía se reduce al precio que tenga el tiempo que le dediquemos al proceso de registro. Nada más. Así que podríamos decir que sí es gratis. Todo esto pertenece a una de tantas alternativas libres y gratuitas que nos proporciona la red.

NOTA

Para entender esto del *copyleft* con mayor detalle se recomienda leer el libro *Copyleft Manual de Uso* disponible en *http://www.traficantes.net*.

RETO

Crea tu propio blog o página en la que puedas ir añadiendo lo que vas aprendiendo día a día.

RESUMEN

- Ingeniería social: hacerse confiable a costa de mentiras, de esta manera conseguimos accesos aportados por el propio usuario.
- CMS: gestor de contenido que nos permite crear y administrar una página web.

10

REDES SOCIALES

Una de las grandes revoluciones que han surgido en Internet en los últimos años y que han permitido una mayor globalización en el uso y disfrute de esta red han sido las redes sociales.

Las redes sociales surgen de la unión de Internet como red de interconexión global con la necesidad de la gente de recuperar o mantener el contacto con antiguos compañeros del colegio, instituto, universidad, etc. Así mismo este tipo de redes se sustenta bajo la teoría de los seis grados de separación.

Esta teoría trata de demostrar que realmente este mundo es un pañuelo y que por tanto, cualquier persona puede estar conectada a cualquier otra persona del planeta a través de una cadena de conocidos que no tiene más de cinco intermediarios, lo que hace teóricamente fácil el encontrar gente a la que le hemos perdido la pista hace años, a través de las posibles relaciones existentes entre terceros.

Las primeras redes sociales aparecen a principios del siglo XXI y pronto se convierten en una nueva forma de relación personal.

Actualmente hay más de 120 redes sociales diferentes entre las que cabe destacar:

- **Facebook**. Red social de proyección internacional, de uso general cuya principal característica es la de ser una red abierta con más de 200 millones de usuarios registrados. Es una red abierta en la que cualquier usuario puede inscribirse gratuitamente.

- **Twitter**. Muy popular entre los estudiantes y jóvenes españoles. Hoy por hoy es una de las más usadas.

- **Google+**. Esta es la alternativa que Google presenta a Facebook. Con bastantes usuarios, gracias entre otras cosas a que se puede crear con la misma cuenta con la que creamos el correo de Google Gmail.
- **LinkedIn**. De todas las propuestas, esta es la que sin duda debemos elegir si queremos trabajar con redes sociales en las que sus miembros se presenten como profesionales y no como particulares.

No obstante y puesto que es imposible tratarlas todas, nos centraremos en las que hemos presentado por ser las más extendidas entre los usuarios de Internet en nuestro país.

10.1 FACEBOOK

Aunque esta red social fue originalmente diseñada como punto de encuentro de los alumnos de la universidad norteamericana de Harvard por Mark Zuckerberg, pronto se convirtió en una de las redes sociales abiertas más importantes en Internet.

Hoy en día todo el que quiere encontrar a alguien, ya no se molesta en preguntar por él o ella a los amigos o amigas. Hoy lo que se hace es añadirse a Facebook y preguntar a esta red social por dicha persona. Muy probablemente, Facebook sepa más de quien buscamos que dichas personas.

10.1.1 Creación de una cuenta de Facebook

Para crear una cuenta de Facebook, por supuesto, lo primero que debemos hacer es entrar en su página web. Para ello en nuestro navegador teclearemos: *http://www.facebook.com*.

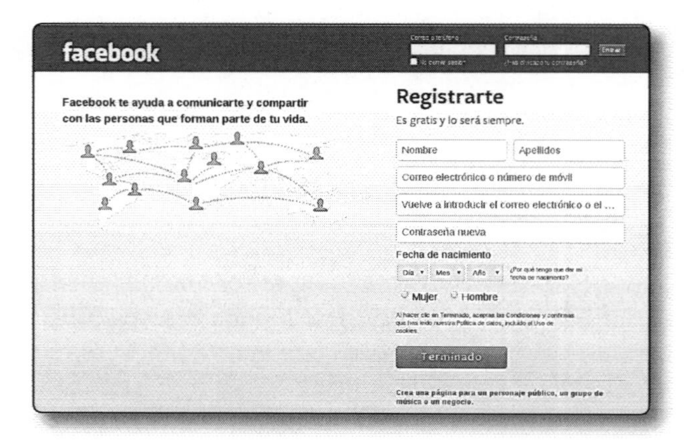

Figura 10.1. Página inicial de Facebook

Una vez dentro del portal de Facebook, accederemos a la página principal de esta red social. En ella podemos observar en su parte central derecha un pequeño cuestionario para iniciar el registro en el que deberemos introducir nuestro nombre, apellidos, dirección de correo electrónico, fecha de nacimiento y contraseña de acceso a nuestro nuevo usuario de la red social. Una vez cumplimentado este formulario, pulsaríamos sobre el botón **Terminado**, que nos llevará a una página de confirmación de la información.

Tras confirmar la inscripción, Facebook nos permitirá exportar de nuestra cuenta de correo nuestra libreta de direcciones con el fin de comprobar si alguno de nuestros contactos está igualmente registrado en este sitio web.

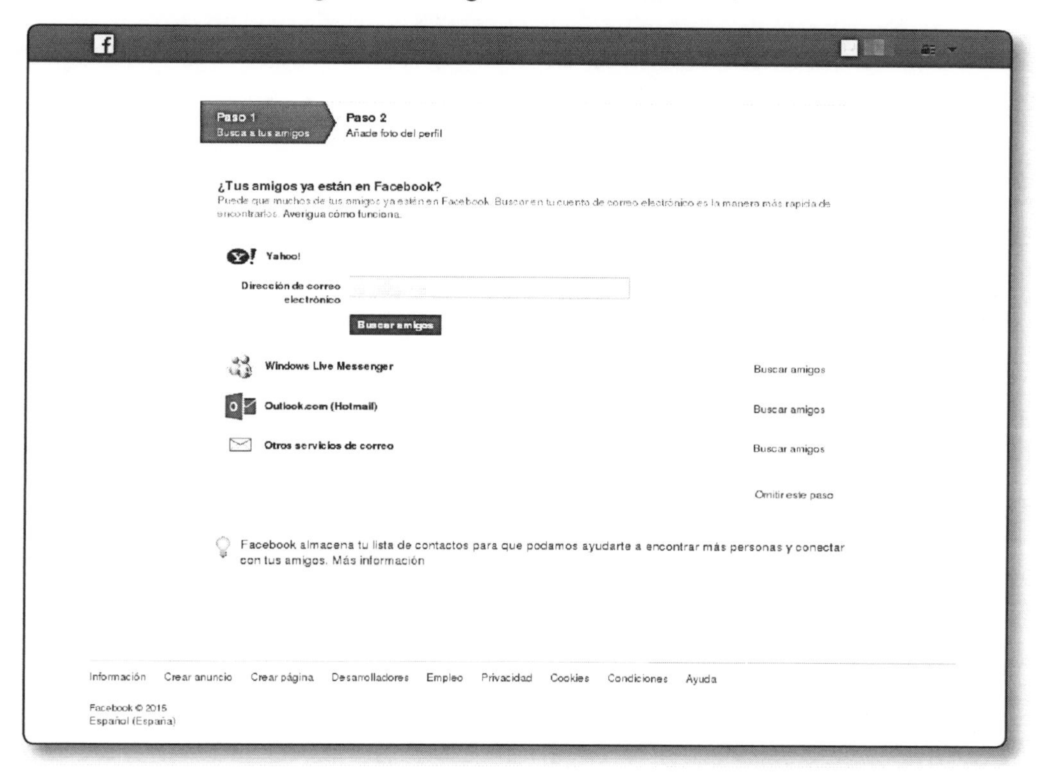

Figura 10.2. Asociación de nuestro correo a Facebook

Lógicamente es necesario aportar la contraseña de nuestra cuenta de correo de forma que Facebook pueda conectarse con ella y extraer dicha información. Recuerden que la contraseña de la que estamos hablando es la misma que tenemos en el correo electrónico de Yahoo, Google Gmail o Microsoft Hotmail. Una vez añadido el correo y la contraseña, se nos solicitará que demos permiso de acceso a los datos de la cuenta en cuestión.

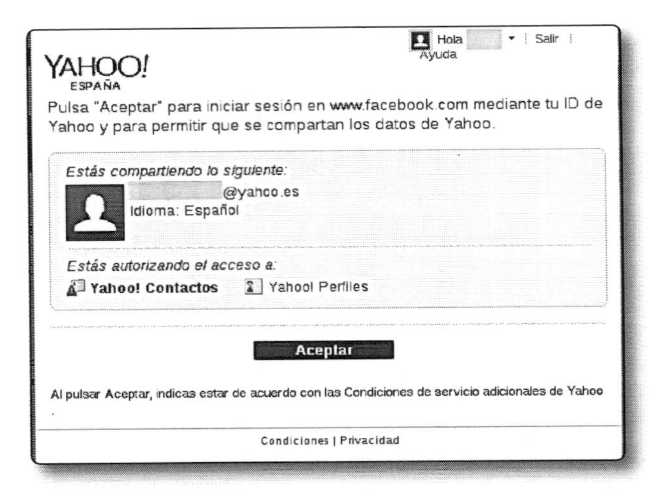

Figura 10.3. Petición de permiso de compartición de datos con Facebook

A partir de la aceptación de este paso Facebook me dará por un lado todos aquellos contactos de la libreta de contactos de mi cuenta de correo que disponen de cuenta de Facebook para que yo pueda solicitarles que me reconozcan como amigo, y por otro lado, todos aquellos contactos a los que no se les reconoce cuenta de Facebook, para que pueda invitarles a unirse a esta red social.

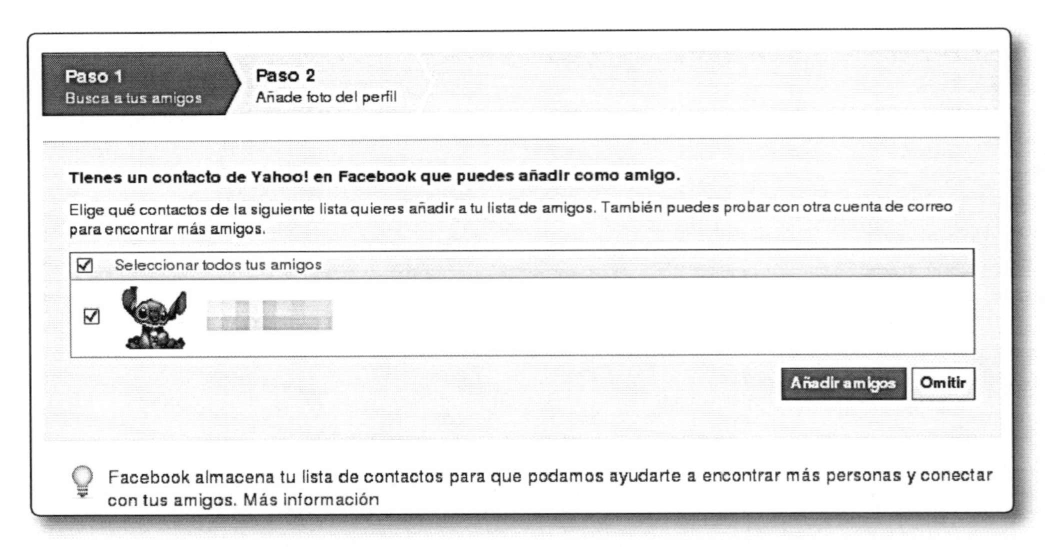

Figura 10.4. Amigos a los que les puedo solicitar amistad

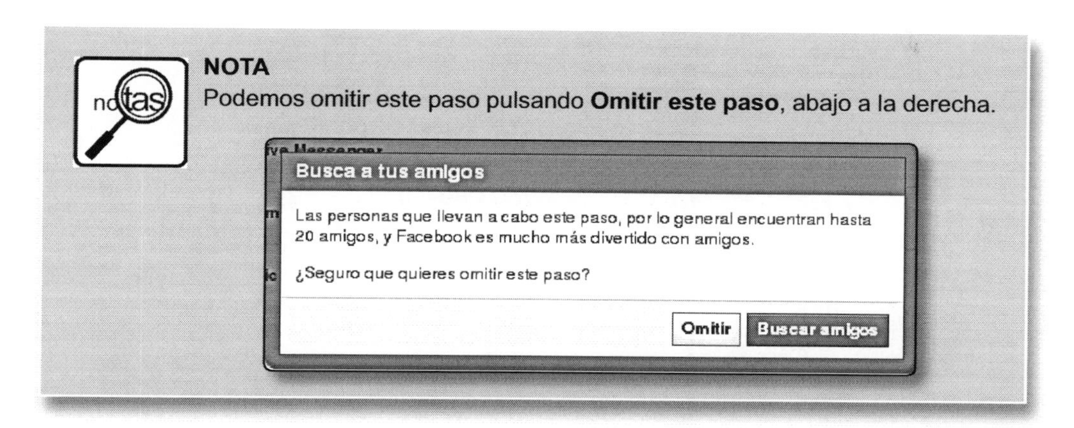

Por último se me solicitará que suba una foto que me identifique. Este paso puede ser, igualmente, omitido.

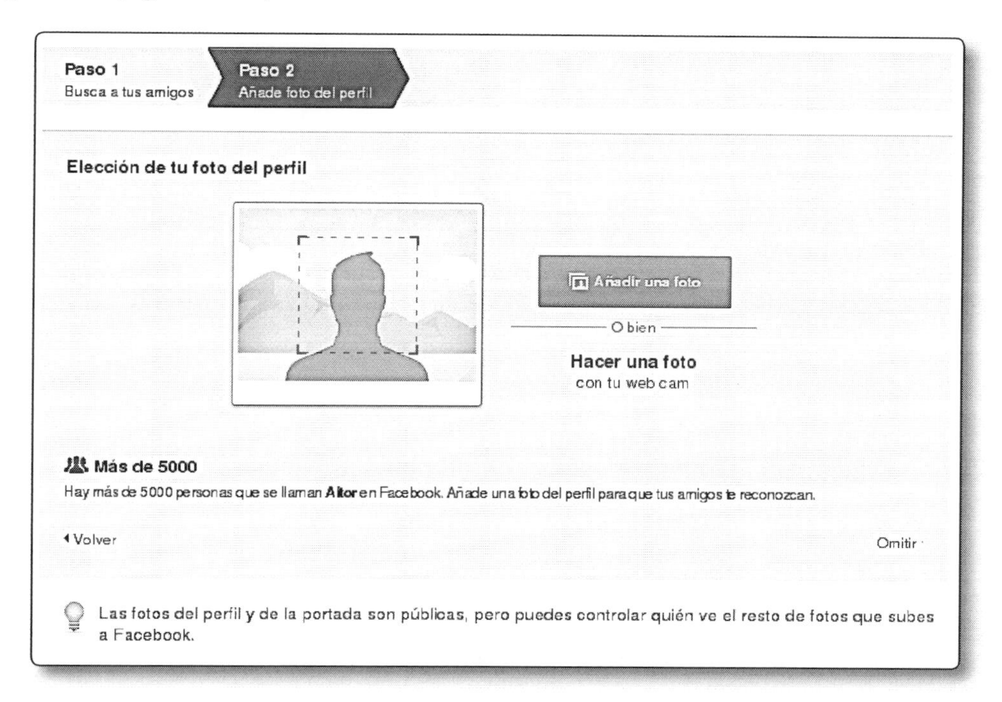

Figura 10.5. Petición de la foto de tu perfil en Facebook

Ya tenemos por fin creada nuestra nueva cuenta en Facebook, ahora tan solo nos queda aprender a utilizarla. Pero antes se nos presentará una serie de pasos con los que podremos ampliar nuestro rango de búsqueda de gente conocida y a la que quizás queramos solicitar que se nos unan.

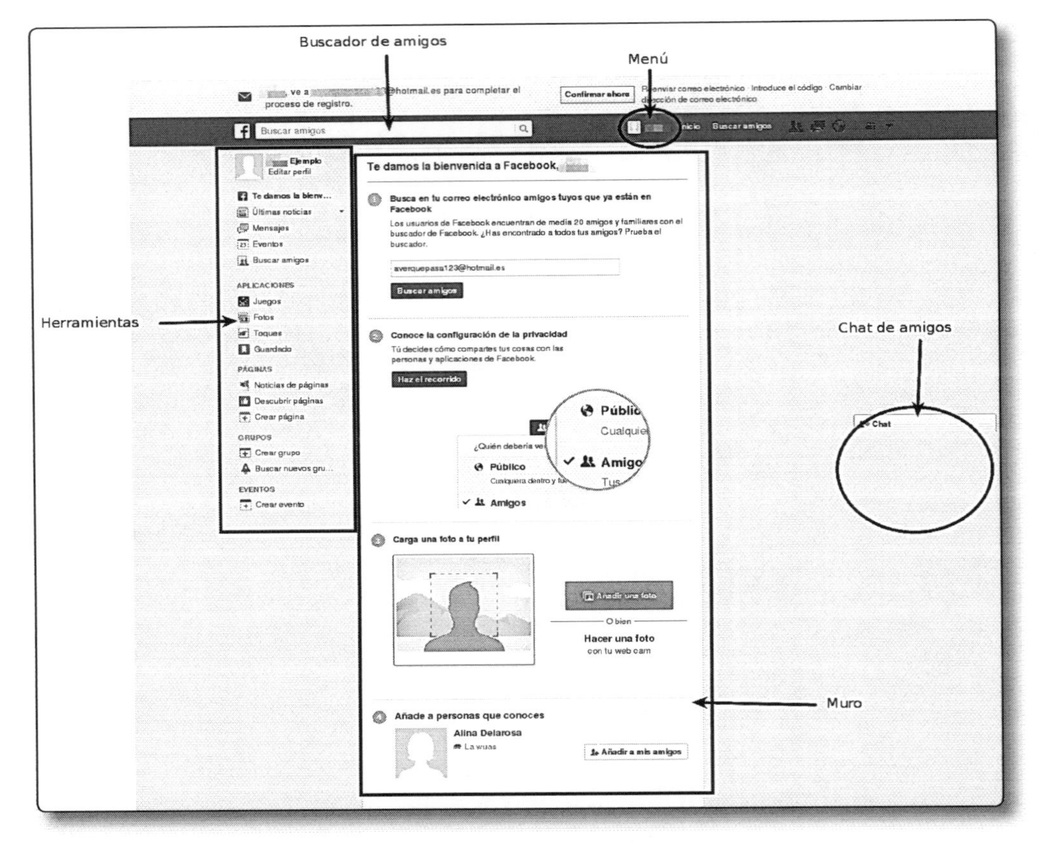

Figura 10.6. Nuestra cuenta de Facebook recién creada

10.1.2 Utilización de nuestra nueva cuenta de Facebook

Para poder acceder a nuestra cuenta de Facebook debemos teclear la dirección antes mencionada *http://www.facebook.com* y en la página principal en su parte superior derecha rellenar los campos de acceso solicitados. Estos son la cuenta de correo y la contraseña del registro. Tras ello se pulsará sobre el botón de inicio de sesión. Esto nos llevará a nuestra página principal de Facebook.

NOTA
¡Cuidado!, no confundir la contraseña de nuestro correo electrónico con la de nuestro registro en Facebook.

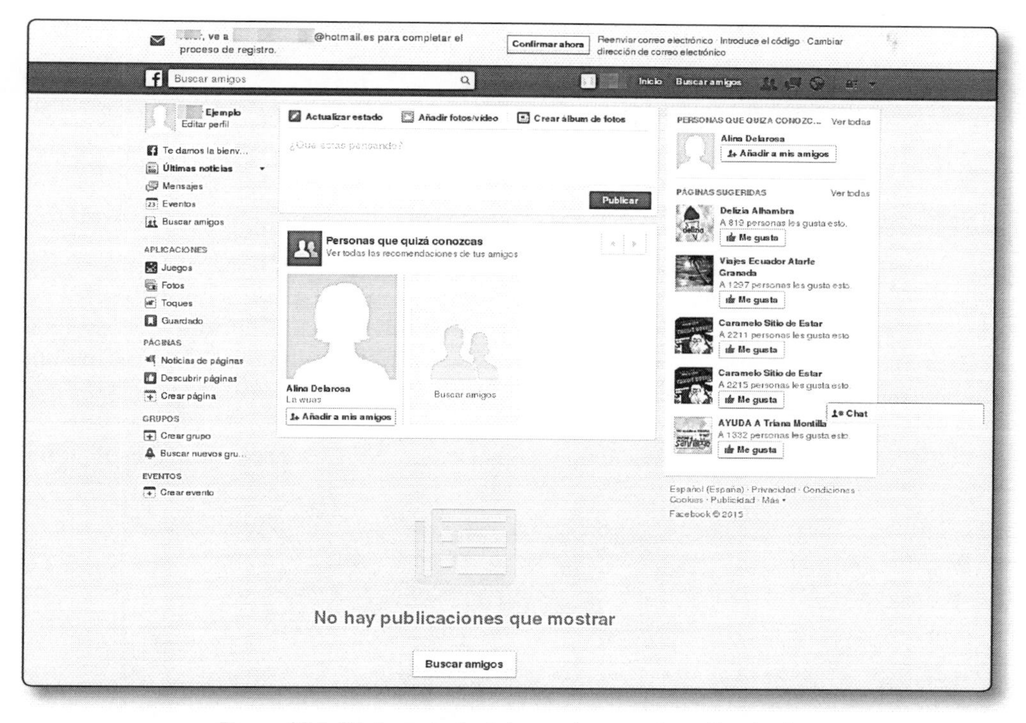

Figura 10.7. Página principal de nuestro usuario en Facebook

Si observamos esta página principal podemos dividirla fácilmente en cuatro partes.

- **La barra principal**. Situada en la parte superior de nuestra página, nos permitirá navegar por las distintas partes que componen nuestro espacio (Inicio, Perfil, Amigos, Bandeja de entrada, Configuración, Cerrar sesión).
- **La columna de la derecha**. Nos mostrará una serie de sugerencias de amistad, últimas fotos añadidas por nuestros amigos, grupos a los que podemos añadirnos y publicidad.
- **La columna de la izquierda**. Nos ofrecerá un menú con accesos a nuestras distintas aplicaciones como juegos, noticias, fotos...
- Y por último, **la parte central** de nuestra página de inicio nos mostrará el muro general, que es aquel en el que todos nuestros amigos mostrarán las distintas noticias o comentarios que publiquen y donde a su vez nosotros podremos contestar a dichas notas.

Figura 10.8. Barra superior de Facebook

Llegado este momento ya podemos explicar los distintos apartados que nos aparecen en la cabecera de nuestro Facebook. De izquierda a derecha tenemos:

- **Perfil**. Identificado por la silueta. Esta es, por decirlo de alguna forma, nuestra página personal en Facebook, en ella podremos actualizar los datos de nuestro perfil, crear y ampliar nuestros álbumes de fotos (a este punto dedicaremos un apartado de forma más extensa), e incluso modificar nuestro estado. En esta página también dispondremos de un muro, pero será un muro personal, en el que podremos publicar y recibir comentarios y publicaciones de nuestros amigos. De forma más personal.

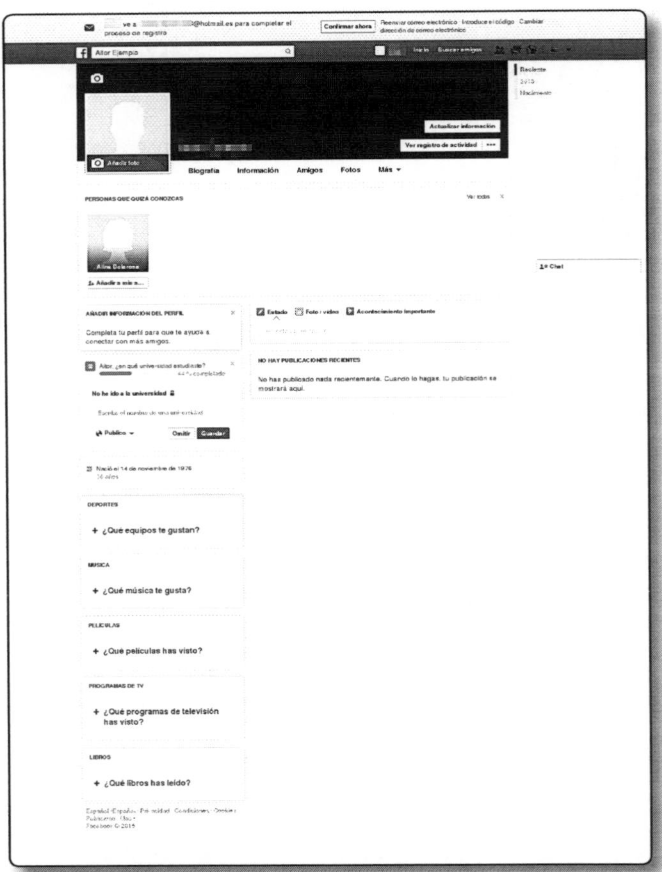

Figura 10.9. Perfil

- **Inicio**. Es la página principal que acabamos de describir.
- **Buscar amigos**. En la pestaña de buscar amigos accederemos a la lista de nuestros amigos, así como a la lista de posibles amigos dada por Facebook. Lo más importante de este apartado no es solo la búsqueda de amigos sino la posible creación de distintos grupos de amigos.
- **Amigos**. Propuestas de amigos que quizás nos interesen.
- **Bandeja de entrada**. Es la parte más privada de Facebook. Como cualquier servidor de correo electrónico, nos permitirá mantener correspondencia privada con nuestros distintos amigos de Facebook.
- **Notificaciones**. Pues eso, notificaciones del estado de amigos…
- **Privacidad**. Acceso directo a la configuración de privacidad que veremos en puntos posteriores.
- **Menú**. Nos permitirá configurar todo lo relacionado con nuestra cuenta de Facebook, como por ejemplo nuestra contraseña, nuestras opciones de privacidad...

10.1.3 Publicar en el muro

Para hacer publicaciones en nuestro muro iremos a la parte superior y usaremos la ventana de edición que se nos presenta. Antes de pulsar en **Publicar** tendremos que asegurarnos de que la configuración de privacidad es la deseada.

Figura 10.10. Área de nueva publicación

10.1.4 Crear un comentario en alguna publicación

Puede ser que a las publicaciones que veamos en nuestro muro queramos añadirles un comentario con la intención de que se pueda seguir una secuencia de publicaciones y posteriores comentarios. Para ello, escribiremos dicho comentario en la parte inferior de la publicación a comentar.

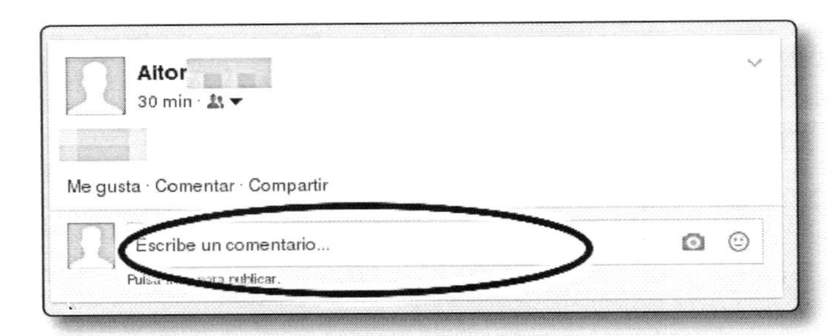

Figura 10.11. Espacio de comentarios de una publicación

10.1.5 Fotos en Facebook

Lo más importante que debemos tener en cuenta en Facebook es el motivo por el que nos hemos creado nuestra cuenta. Principalmente nos solemos dar de alta en este tipo de redes sociales para mantener contacto con gente con la que de otra forma no lo tendríamos, para compartir distintas fotos personales, o tan solo para mantenernos informados de temas relacionados con nuestras aficiones o *hobbys*.

Debido a todo esto lo mejor que podemos hacer para mejorar nuestra seguridad en Facebook es crear distintos grupos de amigos.

Facebook, a diferencia de otras redes sociales, permite diferenciar entre amigos creando distintos grupos o listas. ¿Y para qué sirve esto? Supongamos que quiero publicar fotos mías en la fiesta de unos amigos. Lo normal es que cuando publique esas fotos tan solo puedan verlas aquellos amigos míos a los que crea que les puede interesar, de esta forma evitaré que gente con la que no tengo una amistad especial pueda acceder a esas imágenes.

¿Cómo puedo hacer esto? Para ello debo acceder a la pestaña de **Amigos**. Una vez dentro, en la columna derecha aparecerá la opción de **Listas** y al final la opción de **Crear**.

Al crear la lista, nos permitirá asignar los amigos que pertenecerán a esta lista y con posterioridad cuando creemos nuestros álbumes de fotos podremos configurar a qué listas podremos asignar dichos álbumes.

¿Y cómo creo los álbumes? Para crear álbumes de fotos tan solo debemos acceder al apartado de **Perfil** y una vez allí, seleccionar **Fotos**, y finalmente pulsaremos en **Crear álbum de fotos**. Esto me permitirá bajar desde mi equipo a Facebook todas las fotos que desee compartir.

10.1.6 Configuración de la seguridad en Facebook

Una de las mayores ventajas que ofrece Facebook con respecto a otras redes sociales es su capacidad en cuanto a la configuración de forma segura de los usuarios.

Facebook nos permite varios tipos de seguridad en función de las distintas opciones y de las necesidades concretas para esas opciones. Estas son:

- Solo yo.
- Amigos.
- Público.
- Personalizar. Cuando nos aparezca esta como opción, será la más adecuada ya que nos dará la posibilidad de permitir el acceso a esta información tanto a algunas de mis listas como a distintos amigos de forma individual. También podremos indicar si las personas etiquetadas en las fotos podrán acceder o no, independientemente de que los hayamos incluido en la lista.

Figura 10.12. Opciones de privacidad

Pero vayamos al centro del asunto.

¿Cómo puedo configurar las distintas opciones de seguridad que Facebook me proporciona? Ya hemos visto en el apartado anterior como podemos configurar la seguridad de nuestros álbumes de fotos, pero Facebook nos permite llegar más allá.

Para ello nos iremos a la opción de **Configuración** y dentro de esta buscaremos la opción de **Privacidad**.

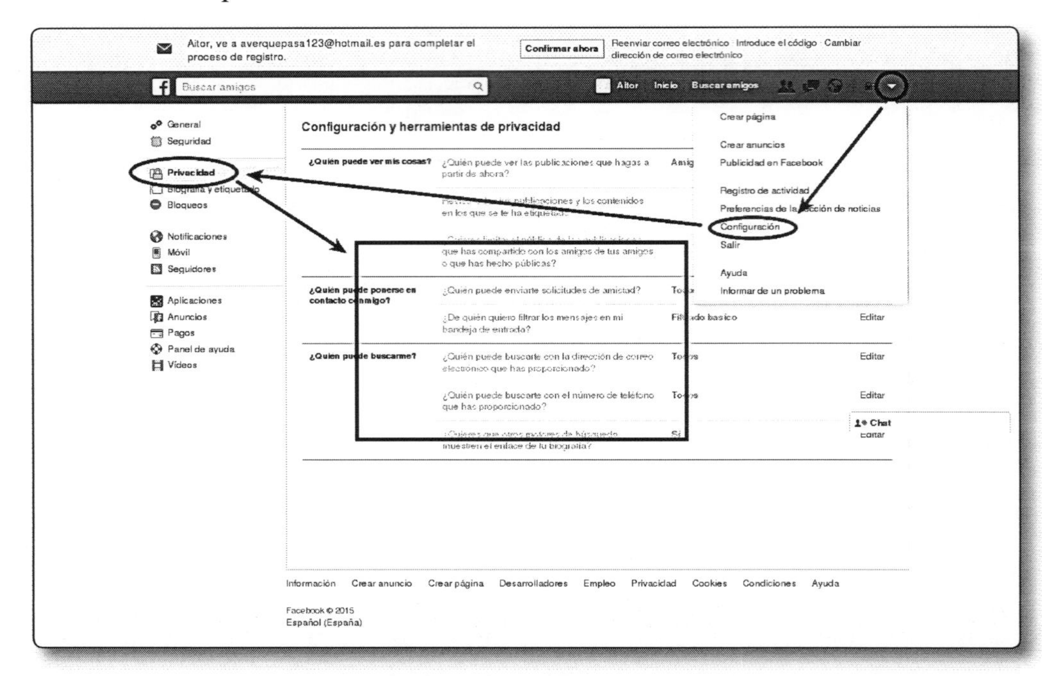

Figura 10.13. Configuración de la seguridad en Facebook

El área de privacidad queda bastante explicada por sí misma. Para modificar cualquiera de ellos pulsaremos sobre **Editar** del apartado deseado.

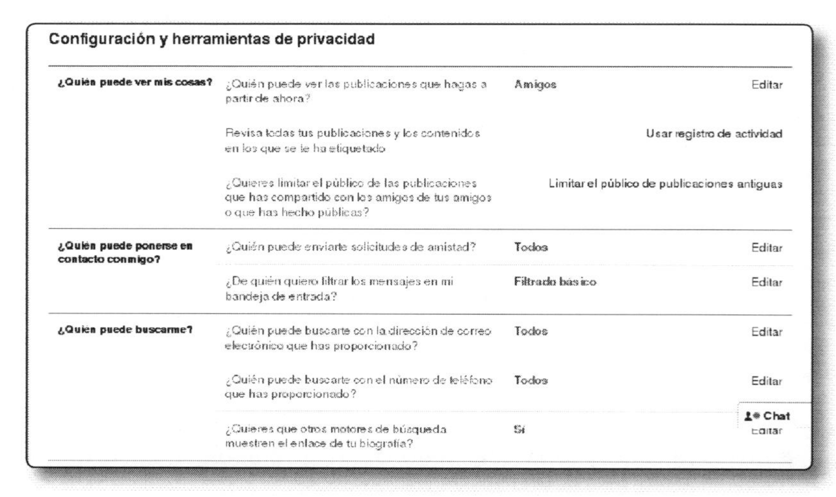

Figura 10.14. Opciones de la configuración de privacidad

10.2 TWITTER

Como ha venido pasando con los otros capítulos, en este veremos que vista una red social como Facebook, podemos decir que hemos visto todas. Evidentemente no son idénticas, pero los conceptos que necesitamos para trabajar con ellas sí lo son.

Por lo tanto, veamos la explicación anterior concretada en la red social Twitter.

Antes de empezar a trabajar con ella es conveniente que la describamos. Twitter es una red social basada en mensajes cortos de una extensión máxima de 140 caracteres. Por lo tanto, esta es la que podemos considerar principal diferencia con Facebook. La idea es poder leer rápidamente los contenidos, y así realizar un mejor seguimiento de la actividad de las personas a las que estamos asociados.

10.2.1 Creación de una cuenta de Twitter

El proceso de creación es similar. Aunque tiene mayor número de pasos, la conclusión es la misma: conseguir conectarnos con quien deseamos. Lo primero que debemos hacer es entrar en su página web *http://www.twiter.com*.

Figura 10.15. Página inicial de Twitter

En esta pantalla podemos observar en su parte derecha un pequeño cuestionario para iniciar el registro en el que deberemos introducir nuestro nombre y apellidos, dirección de correo electrónico y contraseña de acceso a nuestro nuevo usuario de la red social. Una vez cumplimentado este formulario, pulsaríamos sobre el botón **Registrarse en Twitter**, que nos llevará a una página de confirmación de la información. Antes de continuar nos pedirá que insertemos un nombre de usuario que se verá en Twitter.

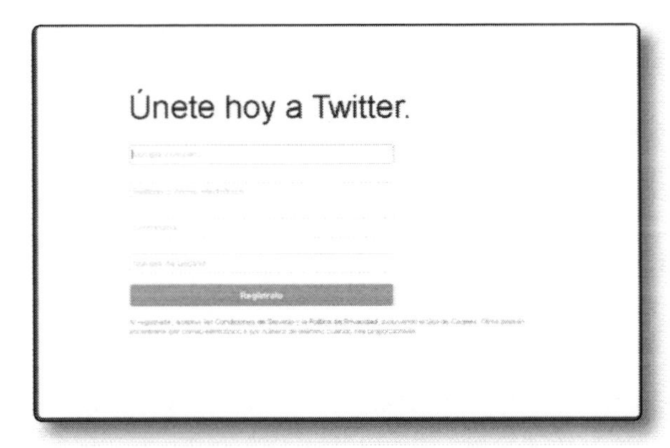

Figura 10.16. Petición de nombre de usuario de Twitter

Tras confirmar el registro, Twitter nos permitirá seguir ciertas cuentas según su agrupación, exportar de nuestra cuenta de correo nuestra libreta de direcciones con el fin de comprobar si alguno de nuestros contactos está igualmente registrado en esta red social o poner una foto en nuestro perfil. Para ello bastará con seguir los pasos propuestos.

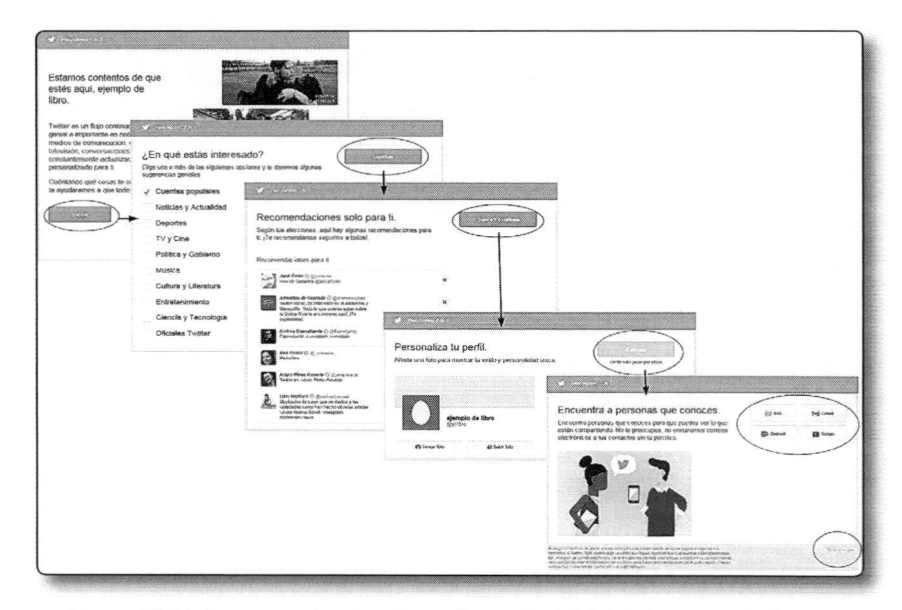

Figura 10.17. Pasos para terminar la configuración inicial de la cuenta de Twitter

NOTA
Cuando nos proporcionen el listado de cuentas asociadas a una temática, podremos no seguir a ciertos usuarios pinchando sobre la X de su derecha.

NOTA
Podemos omitir algunos de los pasos pulsando en **Omitir este paso**.

Ya tenemos por fin creada nuestra nueva cuenta en Twitter, ahora tan solo nos queda utilizarla.

10.2.2 Utilización de nuestra nueva cuenta de Twitter

El acceso se realiza desde la página *http://www.twitter.com* aportando los datos que hemos usado para el registro.

NOTA
¡Cuidado!, no confundir la contraseña de nuestro correo electrónico con la de nuestro registro en Twitter.

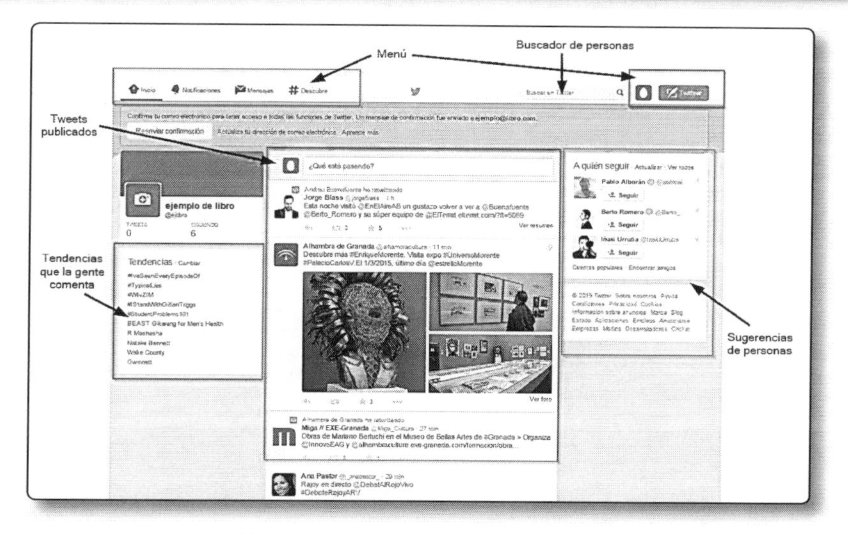

Figura 10.18. Nuestra cuenta de Twitter recién creada

Si observamos esta página principal, en la imagen última del punto anterior, podemos dividirla fácilmente en cuatro partes. Estas partes tienen una descripción similar a la vista en Facebook.

- **La barra principal**. Situada en la parte superior de nuestra página, nos permitirá navegar por las distintas partes que componen nuestro espacio (Inicio, Notificaciones, Mensajes, Descubre, Perfil, Configuración, Cerrar sesión).
- **La columna de la derecha**. Nos mostrará una serie de sugerencias de amistad, últimas fotos añadidas por nuestros amigos, grupos a los que podemos añadirnos y publicidad.
- **La columna de la izquierda**. Nos ofrecerá las tendencias que la gente está siguiendo.
- Y por último, **la parte central** de nuestra página de inicio nos mostrará el apartado de mensajes *twitteados*.

Figura 10.19. Barra superior de Twitter

Llegado este momento ya podemos explicar los distintos apartados que nos aparecen en la cabecera de nuestro Twitter. De izquierda a derecha tenemos:

- **Inicio**. Es la página principal que acabamos de describir.
- **Notificaciones**. Pues eso, notificaciones del estado de amigos...
- **Mensajes**. Es similar a la bandeja de entrada de Facebook.
- **#Descubre**. Algunas sugerencias que puedes seguir.
- **Buscar amigos**.
- **Menú**. El acceso al menú se nos presenta con una viñeta en color con un huevo en su interior. Si hemos definido nuestra foto aparecerá en este recuadro.

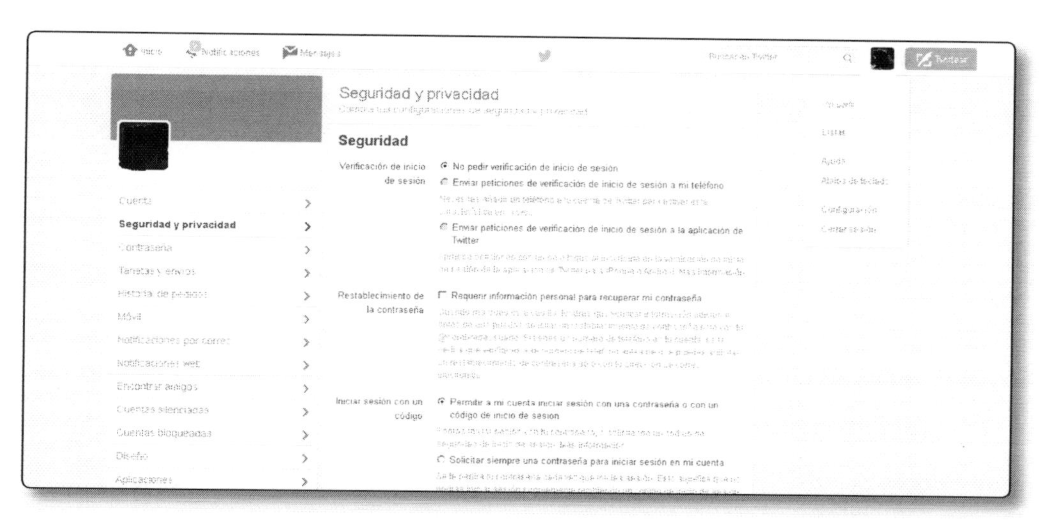

Figura 10.20. Menú de Twitter

- **Twittear**. Añadir mensajes a nuestra parte central.

10.2.3 Cómo twittear

Para hacer publicaciones de *tweets* iremos a la parte superior derecha y pulsaremos sobre **Twittear**. Como podemos ver en la ventana, podemos añadir fotos y ubicaciones concretas.

Figura 10.21. Área de nuevo Tweet

10.2.4 Crear un comentario en alguna publicación

Puede ser que a los *tweets* que veamos en nuestro muro queramos añadirles un comentario con la intención de que se pueda seguir una secuencia de publicaciones y posteriores comentarios. Para ello, escribiremos dicho comentario en la parte inferior de la publicación a comentar.

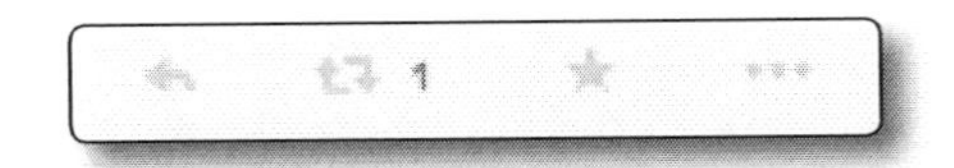

Figura 10.22. Menú de cada publicación

En esta parte inferior tenemos diferentes opciones. De izquierda a derecha:

- **Responder**.
- **Retwittear**. Es que se añada como mensaje tuyo también.
- **Otras opciones**.

10.2.5 Configuración de la seguridad en Twitter

La seguridad en este caso se simplifica en dos opciones principales:

- Queremos que nuestros *tweets* los vea todo el mundo.
- Solo verán nuestros *tweets* a quien le demos permiso.

Y ¿dónde está este apartado? Iremos a la opción de **Menú** > **Configuración** y dentro de esta buscaremos la opción de **Privacidad**.

Las opciones de seguridad se dividen en dos apartados:

- Seguridad. Relacionado con la seguridad de nuestro inicio de sesión y contraseña.
- Privacidad. En el que podremos decidir si se nos puede etiquetar en las fotos en las que salgamos, si queremos proteger los *tweets* con la intención de que solo puedan verlos los que nosotros queramos, permitir que me encuentren en Twitter, entre otros.

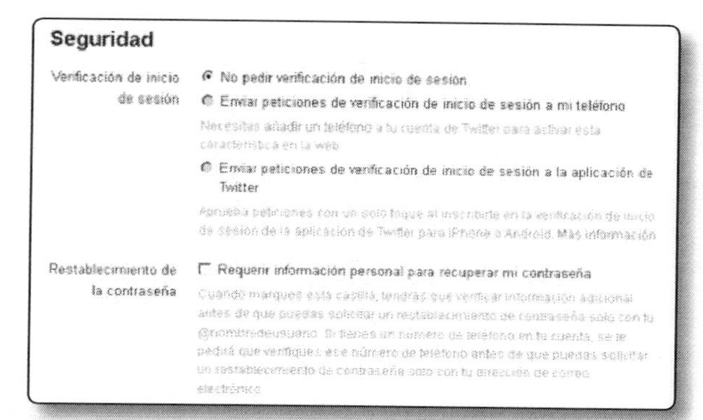

Figura 10.23. Seguridad en Twitter

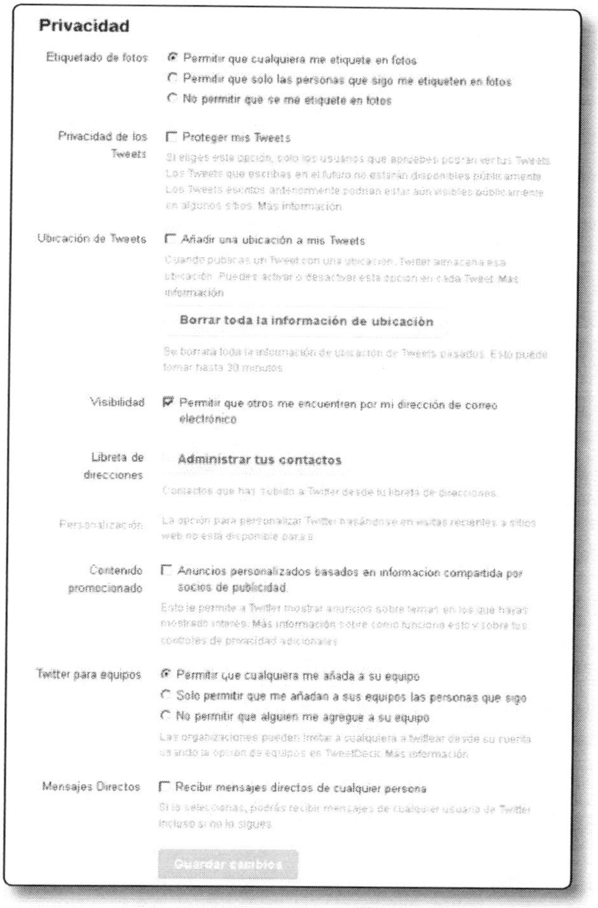

Figura 10.24. Privacidad en Twitter

10.3 GOOGLE+

El caso de Google+ se simplifica, no así sus funcionalidades. El registro es tan sencillo como tener una cuenta en Google Gmail. Para acceder a Google+ lo haremos desde la dirección web *http://plus.google.com*. Accederemos con los mismos datos de Google Gmail.

10.3.1 Configuración inicial de Google+

Como es lógico, aunque Google+ tiene ya datos tuyos que habrás proporcionado al crear la cuenta de Google Gmail, no es suficiente. Por lo tanto te solicitará que completes una serie de pasos previos a la creación de tu cuenta de Google+. Como siempre tendremos que indicar, además de ciertos datos personales complementarios, a quién queremos seguir.

Figura 10.25. Pasos de la configuración de Google+

Cada vez que añadamos una persona nueva a nuestros círculos tendremos que indicar en qué círculo la agrupamos. En la imagen siguiente podemos ver como se nos presentan las diferentes agrupaciones en la parte superior.

10.3.2 Publicar en Google+

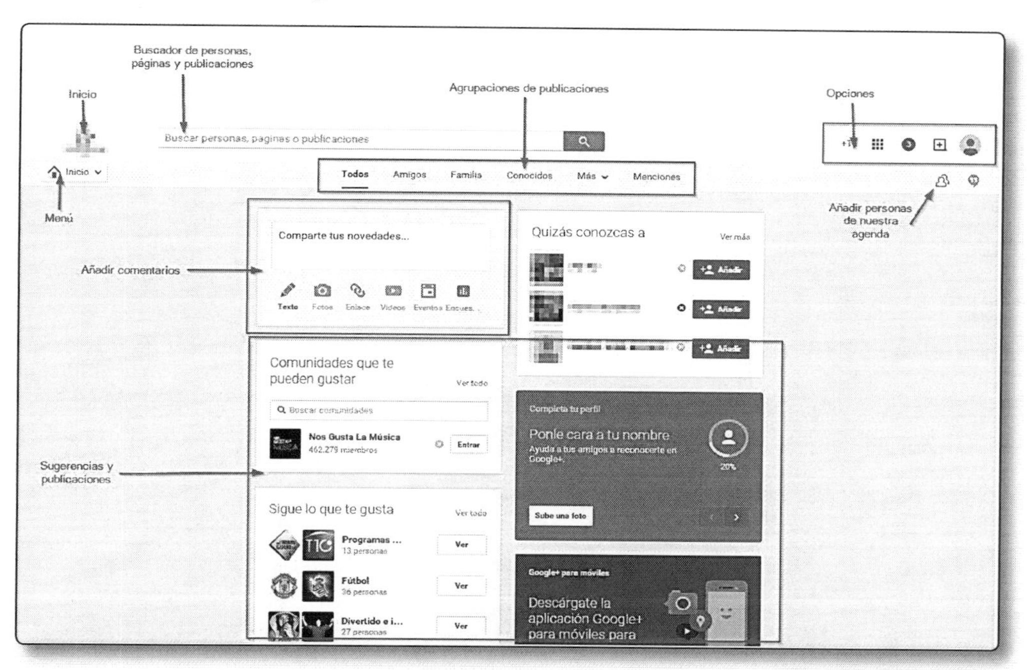

Figura 10.26. Cuenta de Google+ creada

Publicar en Google+ es similar a Facebook. Acudiremos a la parte superior de nuestra página principal, y en ella escribiremos el mensaje que queremos dejar compartido.

Figura 10.27. Añadir nueva información compartida en Google+

Nada más pulsar sobre **Comparte tus novedades...** se nos amplía la ventana con lo visto en la imagen. Como podemos ver, se puede añadir texto, fotos, enlaces, vídeos, eventos o incluso encuestas.

En la parte inferior nos indica con quién queremos compartir esta información. Se detallará en puntos posteriores.

10.3.3 Configuración de la seguridad en Google+

En la ventana en la que podemos añadir nuevas publicaciones, podemos definir diferentes opciones de compartición. Evidentemente lo primero que podremos hacer es decidir con qué grupos o personas queremos compartir dicha publicación, pero además de esto:

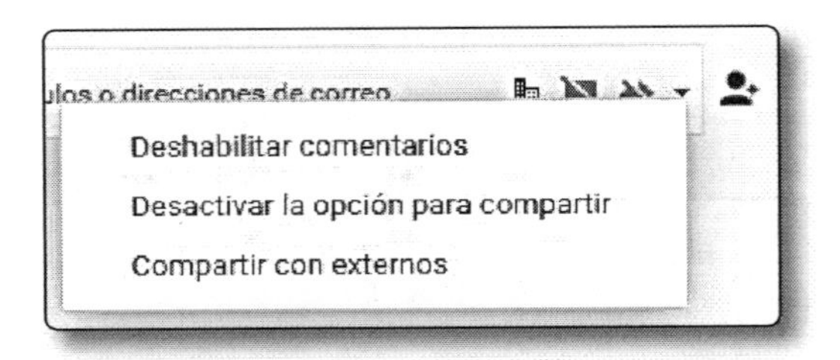

Figura 10.28. Opciones de compartición de la publicación

- Deshabilitar comentarios. Los grupos y usuarios con los que compartimos no podrán dejar comentarios asociados a la publicación.
- Desactivar opción de compartir. En este caso no podrán compartir mi publicación con otros usuarios.

Además de estas opciones de configuración, tenemos otras que están destinadas a configurar Google+, y no solo las publicaciones que hagamos en él. Podemos acceder a estas configuraciones desde la opción dentro del menú **Configuración**.

En esta opción se nos presentan dos pestañas en la parte superior.

- **Configuración**. Todos los aspectos de configuración general.
- **Público**. Restricción del acceso al contenido de mi cuenta de Google+ dependiendo de la edad del usuario.

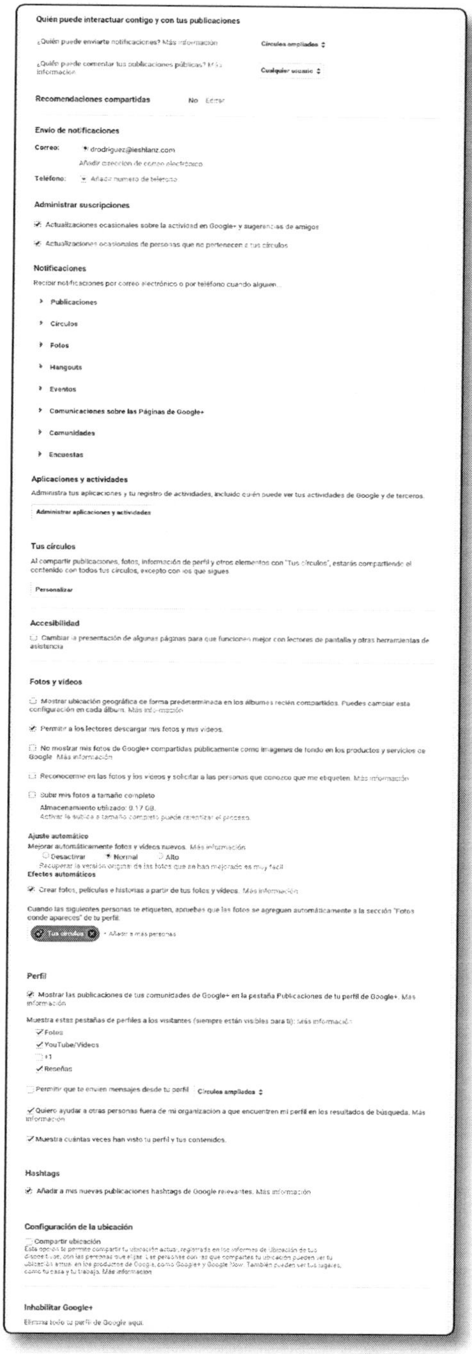

Quién puede interactuar contigo y con tus publicaciones

¿Quién puede enviarte notificaciones? Más información — Círculos ampliados

¿Quién puede comentar tus publicaciones públicas? Más información — Cualquier usuario

Recomendaciones compartidas No Editar

Envío de notificaciones

Correo: drodriguez@ieshlanz.com

Añadir dirección de correo electrónico

Teléfono: Añadir número de teléfono

Administrar suscripciones

- [x] Actualizaciones ocasionales sobre la actividad en Google+ y sugerencias de amigos
- [x] Actualizaciones ocasionales de personas que no pertenecen a tus círculos

Notificaciones

Recibir notificaciones por correo electrónico o por teléfono cuando alguien...

- Publicaciones
- Círculos
- Fotos
- Hangouts
- Eventos
- Comunicaciones sobre las Páginas de Google+
- Comunidades
- Encuestas

Aplicaciones y actividades

Administra tus aplicaciones y tu registro de actividades, incluido quién puede ver tus actividades de Google y de terceros.

Administrar aplicaciones y actividades

Tus círculos

Al compartir publicaciones, fotos, información de perfil y otros elementos con "Tus círculos", estarás compartiendo el contenido con todos tus círculos, excepto con los que sigues

Personalizar

Accesibilidad

- [ ] Cambiar la presentación de algunas páginas para que funcionen mejor con lectores de pantalla y otras herramientas de asistencia

Fotos y vídeos

- [ ] Mostrar ubicación geográfica de forma predeterminada en los álbumes recién compartidos. Puedes cambiar esta configuración en cada álbum. Más información
- [x] Permitir a los lectores descargar mis fotos y mis vídeos.
- [ ] No mostrar mis fotos de Google+ compartidas públicamente como imágenes de fondo en los productos y servicios de Google. Más información
- [ ] Reconocerme en las fotos y los vídeos y solicitar a las personas que conozco que me etiqueten. Más información
- [ ] Subir mis fotos a tamaño completo

Almacenamiento utilizado: 0.17 GB.
Activar la subida a tamaño completo puede ralentizar el proceso.

Ajuste automático

Mejorar automáticamente fotos y vídeos nuevos. Más información

Desactivar · Normal · Alto

Recuperar la versión original de las fotos que se han mejorado es muy fácil

Efectos automáticos

- [x] Crear fotos, películas e historias a partir de tus fotos y vídeos. Más información

Cuando las siguientes personas te etiqueten, apruebes que las fotos se agreguen automáticamente a la sección "Fotos donde apareces" de tu perfil.

Tus círculos + Añadir a más personas

Perfil

- [x] Mostrar las publicaciones de tus comunidades de Google+ en la pestaña Publicaciones de tu perfil de Google+. Más información

Muestra estas pestañas de perfiles a los visitantes (siempre están visibles para ti): Más información

- [x] Fotos
- [x] YouTube/Vídeos
- [ ] +1
- [x] Reseñas

- [ ] Permitir que te envíen mensajes desde tu perfil — Círculos ampliados
- [x] Quiero ayudar a otras personas fuera de mi organización a que encuentren mi perfil en los resultados de búsqueda. Más información
- [x] Muestra cuántas veces han visto tu perfil y tus contenidos.

Hashtags

- [x] Añadir a mis nuevas publicaciones hashtags de Google relevantes. Más información

Configuración de la ubicación

- [ ] Compartir ubicación

Esta opción te permite compartir tu ubicación actual, registrada en los informes de Ubicación de tus dispositivos, con las personas que elijas. Las personas con las que compartes tu ubicación pueden ver tu ubicación actual en los productos de Google, como Google+ y Google Now. También pueden ver tus lugares, como tu casa y tu trabajo. Más información

Inhabilitar Google+

Elimina todo tu perfil de Google aquí.

Figura 10.29. Opciones de la configuración de privacidad en Google+

10.4 LINKEDIN

La última opción que vamos a introducir es la que quizás pueda interesar más al lector a nivel profesional. LinkedIn es una red social basada en conocimientos profesionales y en la que usted podrá asociarse a grupos profesionales que publicarán dudas y soluciones a gran número de preguntas que puede hacerse en su sector laboral.

LinkedIn nos da dos opciones de cuenta:

- Cuenta gratuita.
- Cuenta *premium* de pago.

La diferencia es que la cuenta de pago o *premium* nos permitirá enfocar nuestra cuenta de LinkedIn en una dirección concreta, haciéndola de esta manera más efectiva.

- Búsqueda de empleo.
- Búsqueda de empleados.
- Dar a conocer tu negocio.
- Cuenta destinada a ventas.

10.5 CONTRATOS

Todas las redes sociales nos presentan un contrato que muy pocos leen antes de aceptarlo. Si alguien de la calle te presentara un taco de folios y te dijera "fírmalo y te regalo un bolígrafo multicolor", ¿lo firmaría?; en ese caso, ¿por qué acepta los contratos que se le muestran en Internet sin más que darle a siguiente?

El gran secreto a voces de estas redes sociales radica en el compromiso que en muchos casos adquieres al registrar una nueva cuenta. Compromiso como en el que dicen "nos concedes una licencia no exclusiva, transferible, con posibilidad de ser subotorgada, sin royalties, aplicable globalmente, para utilizar cualquier contenido de PI que publiques en… o en conexión con…".

De hecho existen casos en los que personas que han publicado sus contenidos en redes sociales y que posteriormente han llegado a tener cierta fama, tuvieron problemas para la publicación comercial de sus trabajos.

En conclusión, en todos los casos debemos leer los contratos; concretamente y por el gran número de elementos que se suelen publicar debemos tener especial atención a los contratos relacionados con redes sociales.

Otra problemática es la falsa disponibilidad de nuestro contenido. Si leemos los contratos, lo normal es que nos digan que nosotros podremos eliminar el contenido en el momento que queramos. El problema es que, como siguen diciendo, este contenido no se eliminará directamente, sino que permanecerá en caché un tiempo y por tanto disponible.

Y esta caché no es la única que almacena datos, si nosotros mantenemos el contenido público, será posible acceder a este a través de búsquedas en Google y por tanto la caché de este buscador actuará igual, manteniendo un determinado tiempo los datos aun habiéndolos eliminado de la ubicación original.

Por lo tanto es recomendable hacer ver estas "inseguridades" e insistir en que se deben colgar las imágenes justas y nunca con contenido personal en ellas.

RESUMEN

- Red social: entorno de Internet que busca ser un espacio de encuentro, aplicando para ello la teoría de los seis grados de separación.
- Muro: espacio donde podemos leer las publicaciones de Facebook.
- *Twittear*: publicar mensajes en Twitter.

GLOSARIO

El glosario aquí expuesto no pretende aportar la definición absoluta y completa de los términos, más bien pretende dar una definición amigable que haga que los lectores puedan comprender la obra de una manera más efectiva.

- Android: sistema operativo que incluyen muchos de los *smartphones* (teléfonos móviles).
- ARPAnet: origen del Internet actual.
- Cadenas de correo: correos que comienzan con un destinatario o varios y estos hacen que se vuelva vírico mandándolo a su vez a múltiples destinatarios y estos a otros.
- Cifrado: proceso por el cual se modifica la información original con la intención de que sea incomprensible para todos, menos para quien queramos que la pueda leer.
- CMS: gestor de contenido que nos permite crear y administrar una página web.
- Correo POP: cuando vemos el correo electrónico a través de un programa diferente del navegador web, llamado gestor de correo.
- Correo web: es cuando vemos el correo electrónico a través del navegador web.

- Datos de navegación: estos datos pueden ser el nombre de usuario de nuestros correos, las contraseñas, las direcciones web que hemos visitado ...
- Ethernet: conexión por cable.
- *Firewall*: cortafuegos.
- HTML: código de programación. Las entrañas de lo que vemos cuando estamos en Internet.
- Ingeniería social: hacerse confiable a costa de mentiras, de esta manera conseguimos accesos aportados por el propio usuario.
- IP: dirección identificativa del equipo dentro de nuestra red.
- Muro: espacio donde podemos leer las publicaciones de Facebook.
- Navegador web: programa que nos permite ver páginas web en los diferentes dispositivos (ordenador, *smartphone*...).
- PayPal: plataforma de prepago. Es una empresa que hace de intermediaria frente al pago en Internet.
- Protocolo criptográfico: protocolo con el que se lleva a cabo el cifrado.
- Red social: entorno de Internet que busca ser un espacio de encuentro, aplicando para ello la teoría de los seis grados de separación.
- RJ-45: clavija que se conectará al equipo y al router.
- Router: aparato que nos permitirá conectar los diferentes dispositivos a Internet.
- Servidor de correo: ordenador, ubicado en Internet, donde se alojan todos nuestros correos.
- *Smartphone*: teléfono móvil inteligente. La gran mayoría de los teléfonos móviles actuales.
- Streetside: es la alternativa a Street View de Bing.

- Street View: posibilidad de ver partes de una determinada ciudad como si fuéramos en un vehículo. Desarrollado por Google.
- TPV: Terminal Punto de Venta.
- *Twittear*: publicar mensajes en Twitter.
- Videoconferencia: comunicación mediante vídeo. Nosotros veremos la imagen del otro interlocutor, y él la nuestra. Para ello se necesitará disponer de cámara web.
- Wifi: conexión inalámbrica.

ÍNDICE ALFABÉTICO